Por que os Homens Mentem e as Mulheres Choram?

Allan & Barbara Pease

autores de *Por que os Homens Fazem Sexo e as Mulheres Fazem Amor?*

SEXTANTE

2ª Edição

tradução
Pedro Jorgesen Junior

preparo de original
Regina da Veiga Pereira

revisão
José Tedin Pinto
Sérgio Bellinello Soares

capa e ilustrações
Silvana Mattievich

projeto gráfico de miolo e editoração
Marcia Raed

fotolito
RR Donnelley América Latina - Premedia/Mergulhar

impressão
Cromosete Gráfica e Editora Ltda

CIP-BRASIL. CATALOGAÇÃO-NA-FONTE.
SINDICATO NACIONAL DOS EDITORES DE LIVROS

P375P Pease, Allan
Por que os homens mentem e as mulheres choram? /
Allan e Barbara Pease; tradução de Pedro Jorgensen Junior.
– Rio de Janeiro: Sextante, 2003.

Tradução de: Why men lie and women cry
ISBN 85-7542-063-1

1. Relação homem-mulher. 2. Sexo - Diferenças (Psicologia). 3. Papel sexual.
I. Pease, Barbara. II. Título.

03-0645. CDD 306.7
CDU 392.6

EDITORA SEXTANTE / GMT EDITORES LTDA.
Rua Voluntários da Pátria, 45 – Gr. 1.404 – Botafogo
22270-000 – Rio de Janeiro - RJ
Tel.: (21) 2286-9944 – Fax: (21) 2286-9244
Atendimento: 0800-22-6306
E-mail: atendimento@esextante.com.br
www.esextante.com.br

Sumário

Introdução

Nascemos nus, molhados e famintos.
Depois as coisas pioram.

PROVÉRBIO CHINÊS

Por que os homem mentem? Por que eles acham que têm de estar sempre com a razão? Por que evitam se comprometer? E as mulheres, por que choram para conseguir o que querem? Por que insistem num assunto até a morte? Por que não tomam a iniciativa sexual com mais freqüência?

Em pleno século vinte e um, os desentendimentos e conflitos entre os sexos ainda estão tão presentes em nossas vidas quanto na primeira vez em que Adão e Eva se desentenderam. Em três décadas de estudos e pesquisas sobre as diferenças entre homens e mulheres – analisando quilômetros de filmes e gravações, escrevendo livros, dando entrevistas na TV, trocando informações em conferências –, milhares de vezes nos foi perguntada a razão de determinados comportamentos de homens e mulheres. As cartas, telefonemas e e-mails vinham de pessoas perplexas com o comportamento do sexo oposto, e frustradas por não saberem lidar com a situação. Por isso decidimos escrever *Por que os Homens Mentem e as Mulheres Choram?*. Catalogamos as quarenta perguntas mais freqüentes de leitores de todo o mundo e procuramos respondê-las usando, além da nossa experiência, pesquisas, levantamentos, estudos científicos atualizados e o nosso bom senso. A partir daí, desenvolvemos soluções práticas para ajudar você a sintonizar o canal certo na comunicação com o sexo oposto.

Por que os Homens Mentem e as Mulheres Choram? procura responder as perguntas que ficam martelando na cabeça das mulheres à uma da madrugada, do gênero: "Por que os homens devoram as outras mulheres com os olhos?" e "Por que eles ficam o tempo todo dizendo o que devo fazer e como devo pensar?". Procura também elucidar os problemas com que os homem se debatem às dez da manhã de domingo, quando se levantam da cama sozinhos ou sem conseguir que suas parceiras falem com eles. Examinamos as perguntas deles também, como, por exemplo: "Por que as mulheres não vão direto ao assunto?", "Por que as mulheres reclamam o tempo todo?", "Por que tenho de recolher do chão minhas meias às dez horas da manhã de um domingo?".

As mulheres se preocupam com o futuro até arranjarem um marido. Os homens nunca se preocupam com o futuro até que arranjam uma esposa.

Hoje, a ciência consegue explicar por que as mulheres falam tanto, por que gostam de "jogar verde para colher maduro", por que querem ficar sabendo de todos os detalhes a respeito das pessoas ao seu redor e por que raramente tomam a iniciativa de fazer sexo. Hoje sabemos as razões evolutivas e biológicas que explicam por que os homens só conseguem fazer uma coisa de cada vez, por que detestam ir ao shopping, por que não param o carro para pedir orientação, por que têm hábitos e manias que deixam as mulheres tão irritadas e por que não sabem quase nada da vida pessoal de seus amigos, mesmo depois de passarem um fim de semana inteiro pescando em sua companhia.

Por que os Homens Mentem e as Mulheres Choram? chama a atenção para coisas óbvias que escapam à maioria das pessoas. Talvez você já tenha notado que muitas mulheres parecem ter uma necessidade biológica de comprar almofadas decorativas e de mudar a arrumação dos móveis para os homens tropeçarem quando chegam em casa de madrugada. E também como poucas delas compreendem a emoção de ver e rever o *replay* de uma jogada, é improvável que um homem perceba que a descoberta de uma roupa de grife num balcão de liquidação é uma das coisas mais extraordinárias que podem acontecer para uma mulher.

Por que as coisas são tão difíceis para homens e mulheres?

Hoje em dia, ser homem tornou-se uma árdua tarefa. Desde que, na década de 1960, as feministas passaram a ter mais voz e mais êxitos, a taxa de suicídio entre as mulheres diminuiu mais de 34%, enquanto que entre os homens aumentou 16%. Mesmo assim, o foco da discussão ainda é a cruz que as mulheres carregam nesta vida.

No último quarto do século vinte, à medida que as mulheres conquistavam mais e mais liberdades, considerando muitas vezes o homem como o inimigo a ser vencido, os relacionamentos e as famílias passaram a viver uma enorme tensão. As mulheres estavam iradas e os homens, perplexos e confusos. Durante gerações, os papéis haviam sido nitidamente definidos. O homem era o chefe da família e o principal responsável por seu sustento; sua palavra era lei e suas áreas de decisão eram claras; ele era o protetor e o provedor. A mulher era mãe, dona-de-casa, secretária, professora ou assistente social. O homem sabia quais eram as suas responsabilidades e a esposa conhecia as dela. A vida parecia simples.

De repente, tudo começou a mudar. Seriados e comerciais de TV passaram a mostrar os homens como idiotas incompetentes diante de mulheres superiores, mais inteligentes e cada vez mais adeptas da causa da igualdade. O problema é que as mulheres pareciam saber o que queriam e aonde estavam indo, enquanto muitos homens se sentiam deixados para trás.

Se uma mulher esbofeteia um homem em público, todo mundo parte do princípio de que ele é que está errado.

Os homens, muitas vezes, parecem não entender as regras do jogo. Uma mulher que protestasse contra as desigualdades era objeto de simpatia, enquanto que um homem que fizesse o mesmo era acusado de inimigo das mulheres. O número de piadas aviltantes sobre homens cresce a cada dia. É só você pensar nas que recebe por e-mail. Veja a última que anda circulando entre as mulheres e que a maioria dos homens considera extremamente desmoralizante e ameaçadora:

Qual é a definição de um homem?
Um suporte para um pênis.

Não se pode negar que esse tipo de coisas que a maioria dos homens encara como hostilidade aberta contribui largamente para o estado depressivo que parece estar se abatendo sobre toda uma geração. A taxa de suicídios entre os homens jovens e velhos é hoje a maior da História, com os japoneses encabeçando a lista. Os homens estão inseguros quanto à sua própria identidade e falta-lhes exemplos a serem seguidos.

Mas as coisas estão difíceis também para as mulheres. O feminismo começou chamando a atenção para as desigualdades entre os sexos e prometendo libertar as mulheres dos grilhões que as mantinham aprisionadas ao fogão. Hoje, cerca de 50% das mulheres do mundo ocidental trabalham – mesmo quando não querem. Na Grã-Bretanha, uma em cada cinco famílias é chefiada por uma mulher sozinha, contra uma em cada cinqüenta chefiadas por homens em igual situação. Em geral, essas mulheres desempenham os papéis de mãe, pai e provedor. Elas agora sofrem de úlcera, cardiopatias e outras enfermidades relacionadas ao estresse, exatamente como sempre aconteceu com os homens.

Estima-se que a bulimia afete de 4 a 5% das universitárias, contra apenas 1 em cada 300 universitários.

Estima-se que 25% de todas as mulheres do mundo ocidental serão solteiras permanentes no ano de 2020. Trata-se de uma situação antinatural, em total desacordo com nossas necessidades humanas e biológicas básicas. As mulheres de hoje são superatarefadas, se enraivecem com freqüência e estão ficando cada vez mais solitárias. Os homens têm a sensação de que as mulheres querem que eles pensem e se comportem como elas. Estamos todos muito confusos. Este livro traz um mapa para ajudá-los a se mover nesse labirinto em que se transformaram os relacionamentos e a identificar as pistas escorregadias, as curvas traiçoeiras e os becos sem saída.

Por que homens e mulheres têm tantos problemas?

A mulher evoluiu como parideira e defensora da prole. Como resultado, o cérebro feminino se programou para nutrir, educar e prover de amor e carinho a vida das pessoas. O homem evoluiu com uma programação totalmente diferente – caçar, guerrear, proteger, prover materialmente e resolver problemas. Compreende-se, portanto, que os cérebros dos homens e das mulheres tenham se programado para funções e prioridades distintas. Pesquisas científicas propiciadas pelas novas técnicas de ressonância magnética do cérebro confirmam este fato.

A maior parte dos livros sobre relações humanas é escrita por mulheres e mais de 80% de seu público é também constituído de mulheres. Geralmente, o tema desses livros são os homens, seus erros e o que fazer para melhorá-los. A maioria dos terapeutas e conselheiros matrimoniais são também mulheres. Isto nos faria concluir que as mulheres dão mais atenção aos relacionamentos do que os homens.

E é verdade, sob muitos aspectos. Cuidar dos relacionamentos não é uma função natural da psique masculina, de seu modo de pensar e de sua escala de prioridades. Conseqüentemente, os homens ou não se empenham nem um pouco, ou desistem rápido dos relacionamentos, porque acham o modo de pensar e agir das mulheres muito complicado. Às vezes a coisa é tão difícil que o melhor é ir embora logo para não ser visto como um fracasso. Mas a verdade é que tanto os homens quanto as mulheres desejam relacionamentos bons, saudáveis e gratificantes. Apenas, homens e mulheres supõem que um belo dia vai aparecer um relacionamento perfeito, sem que haja necessidade de nenhum estudo ou preparação especial. As mulheres costumam cometer o equívoco de supor que, porque um homem a ama, ele tem também de entendê-la. Só que geralmente ele não entende. Nós chamamos o outro sexo de "oposto" por um bom motivo – somos realmente opostos.

Para a mulher, basta conhecer bem um único homem para entender todos os homens; enquanto que um homem nunca entenderá nenhuma mulher, mesmo que conheça todas elas.

HELEN ROWLAND

Somos a única espécie que tem problemas permanentes com a corte, o ritual do acasalamento e o relacionamento – as outras espécies já têm tudo programado e se saem muito bem. A viúva-negra e o louva-a-deus, que matam seus parceiros logo após o acasalamento, conhecem as regras do jogo e as seguem fielmente. O polvo é outro bom exemplo. É um animal simples, com um cérebro minúsculo, que nunca discute sexo nem como fazer para chegar lá, muito menos as diferenças entre macho e fêmea. Em determinado momento, a fêmea entra no cio, os machos se aproximam movendo os seus tentáculos, ela escolhe aquele cujos tentáculos mais lhe agradam e dá o sinal verde. Ela jamais o acusa de não lhe dar atenção e ele não fica pensando se foi bom para ela como foi para ele. Não há por perto sogros nem cunhados querendo dar conselhos, e a fêmea jamais cogita descobrir se está gorda demais, nem anseia por um campeão sexual.

Os humanos, porém, são infinitamente complicados. As mulheres dizem querer homens sensíveis, mas não querem que sejam sensíveis *demais*. Os homens não entendem muito bem essa sutil diferença. Não percebem que precisam ser sensíveis em relação aos sentimentos da mulher, mas duros e másculos em outras situações. Para se moverem nesse labirinto, os homens precisam aprender algumas técnicas que encontrarão neste livro, que também ensina às mulheres técnicas para identificar e atender os anseios masculinos.

Se vocês escreverem as palavras "relacionamento" e "sexo" num site de busca da Internet, obterão 36.714 referências, somente em inglês, para ajudá-los a fazer as coisas fluírem melhor. Para os outros animais, relacionamentos são procedimentos diretos guiados pela necessidade de sobrevivência de cada espécie. Eles não pensam a respeito – simplesmente fazem. Nós, porém, evoluímos tanto, que hoje precisamos conhecer a melhor maneira de lidar com o sexo oposto para ter alguma chance de levar uma vida feliz e desfrutar a quota de prazer, emoção e enriquecimento que um bom relacionamento é capaz de proporcionar.

Pelo mundo todo

Por que os Homens Mentem e as Mulheres Choram? é o degrau que, na escada do relacionamento, vem depois de *Por que os Homens Fazem Sexo e as Mulheres Fazem Amor?*, e trata de aspectos da vida em que a maioria das pessoas nunca pensa ou simplesmente não percebe. Para escrever este livro, viajamos por mais de trinta países, coletando e confrontando informações e pesquisas sobre o relacionamento entre os sexos. Neste trabalho procuramos estabelecer temas universais, definir problemas comuns e finalmente apresentar soluções práticas. Os comportamentos e cenários que descrevemos neste livro não se aplicam a todas as pessoas o tempo todo. São histórias reais cujos princípios se aplicam à maioria das pessoas na maior parte do tempo de seus relacionamentos com o sexo oposto.

Se você se dá bem com a maioria das pessoas a maior parte do tempo, seja morando junto, trabalhando, lidando e amando o sexo oposto, a sua vida deve ser bastante feliz. Infelizmente, vemos que a maioria das pessoas ainda não se entende durante uma boa parte do tempo.

O índice de divórcios na Grã-Bretanha, por exemplo, ultrapassa hoje a marca dos 50% nos quatro primeiros anos de casamento, e, se incluirmos casais que não chegaram a se casar, é razoável supor que a taxa de separações entre os casais é algo entre 60 e 80%.

100% dos divórcios começam com o casamento

Por que os Homens Mentem e as Mulheres Choram? é uma preciosa oportunidade para você eliminar um pouco do sofrimento, da angústia e da confusão de sua vida. Tudo poderá ficar mais fácil. É um livro repleto de bom senso e de fatos científicos apresentados de forma bem-humorada e de fácil assimilação. Ele explica o comportamento do "outro sexo", sejam eles companheiros, filho, filha, mãe, pai, parentes, amigos ou vizinhos.

Aprendendo uma segunda língua

Para ter êxito com o sexo oposto você precisa saber falar duas línguas – a das mulheres e a dos homens. Se você só fala inglês e está visitando a França, não adianta pedir em inglês um típico prato britânico. Os franceses não vão entender nada. Mas se você comprar um livrinho de expressões traduzidas que lhe ensine as palavras e frases básicas da outra língua, o problema de comunicação está resolvido. Os habitantes locais vão amar e serão superprestativos, mesmo que você tropece um pouco nas palavras. As pessoas ficam bem impressionadas quando vêem que nos esforçamos para entendê-las e nos comunicarmos com elas.

“Será que eu vou ter de mudar de sexo?”

As pessoas nos perguntam com freqüência: “Vocês estão me dizendo que eu devo pensar, falar e agir como o sexo oposto?” Em hipótese alguma. Quando você compra um telefone celular, ele vem com um manual de instruções. Depois que você aprende a fazê-lo funcionar e a programá-lo para as funções que deseja, ele lhe proporciona satisfação, lucro e diversão. *Por que os Homens Mentem e as Mulheres Choram?* é um manual de instruções para ajudar a entender o sexo oposto e saber que botões apertar para obter o melhor resultado.

Depois de entender a evolução do homem, a mulher passa a ter muito mais facilidade de compreender e aceitar seus comportamentos e seus processos mentais. O homem, por sua vez, quando entende o caminho percorrido pela mulher, pode também se beneficiar de suas experiências e seus pontos de vista. É um enorme ganho e alívio para ambos.

Experiência em primeira mão

Nós, os autores, somos muito bem casados, amantes fiéis e grandes amigos um do outro. Somos também pais de quatro lindos filhos. Em *Por que os Homens Mentem e as Mulheres Choram?* recorremos também às nossas experiências pessoais, desejando proporcionar-lhe uma visão equilibrada do relacionamento entre homem e mulher, procurando, o mais possível, ser imparciais. A pesquisa que fizemos sobre os vários temas deste livro e o próprio ato de escrevê-lo nos propiciou um entendimento mais completo de nós mesmos e de nossos pais, irmãos, irmãs, primos, vizinhos e colegas de trabalho. Não acertamos sempre, mas achamos que acertamos a maior parte do tempo com a maior parte das pessoas. O resultado é que nosso relacionamento com os que nos são próximos vem melhorando expressivamente e, de um modo geral, as pessoas gostam de nós. Nada é perfeito, mas, tirando a média, vamos muito bem.

Como dar este livro de presente

Depois do sucesso mundial de nosso último livro *Por que os Homens Fazem Sexo e as Mulheres Fazem Amor?* (mais de seis milhões de exemplares vendidos em 33 línguas até o dia de hoje), alguns homens nos acusaram de ter dificultado suas vidas. A alegação era a de que suas mulheres usavam o livro para persegui-los afirmando "Allan disse isso..." e "Barbara disse aquilo...". *Por que os Homens Fazem Sexo e as Mulheres Fazem Amor?* obteve um grande sucesso entre as mulheres de todos as nacionalidades e nós temos perfeita consciência de que algumas o deram de presente aos seus homens dizendo incisivamente: "Você precisa ler isso! Leia do começo ao fim – mas sobretudo as partes que eu marquei para você ler."

Quando uma mulher dá de presente a outra um livro sobre desenvolvimento pessoal, aquela que recebe se sente homenageada e agradecida por ter ganho algo que vai ajudá-la a crescer. Mas um homem talvez se sinta insultado, achando que a mulher está tentando mostrar que ele não é bom do jeito que é. Talvez recuse o livro dizendo simplesmente "Não preciso de nada disso!", deixando-a ferida e desconcertada. Portanto, se você, leitor, é homem, meus parabéns! – saiba que faz parte de uma minoria que quer compreender como as mulheres pensam e agem. Se você é mulher, talvez seja mais prudente perguntar ao seu homem a opinião dele sobre os conselhos do livro, porque os homens adoram dar opiniões. Marque as páginas que você quer que ele leia e deixe o livro sobre a mesa do café ou no banheiro.

E por fim...

Dizem que é ótimo ser homem, porque uma barriga discreta e o cabelo grisalho conferem até um certo charme, as rugas dão personalidade e o preço da roupa de baixo é absolutamente razoável. Ninguém conversa com você olhando para os seus peitos e você não precisa ir ao salão de beleza se preparar para a reunião social.

Dizem que é ótimo ser mulher porque você pode conversar com um indivíduo do sexo oposto sem ter de imaginá-lo nu, consegue ser desculpada por chefes do sexo masculino quando é acometida de seus misteriosos transtornos ginecológicos, e os táxis param ao seu aceno. Você dança sem parecer uma rã num liquidificador e não é obrigada a ter ereção.

Talvez um dia homens e mulheres venham a ser parecidos. Talvez as mulheres venham a gostar de ver corridas de automóveis, façam compras com absoluta objetividade, e os homens tenham de passar uma vez por mês num simulador de TPM. Os assentos de vaso sanitário serão fixados, as mulheres só falarão durante os comerciais e os homens só lerão a *Playboy* pelo seu valor literário.

Mas nós duvidamos – pelo menos no que diz respeito aos próximos milênios. Enquanto isso, seguiremos aprendendo a entender, administrar e gostar de nossas diferenças. E seremos recompensados com amor e carinho.

Desfrutem, pois, o nosso livro!

BARBARA & ALLAN PEASE

Capítulo 1

A RABUGICE

Quando uma pessoa não pára de reclamar

Rabujar: aborrecer, atormentar,
encher o saco, torrar a paciência, repreender, amolar,
ficar fungando no cangote, molestar, altercar, dominar
(o marido), importunar, afligir, provocar, irritar.
Rabugento: indivíduo, especialmente mulher,
que reclama o tempo todo.

Rabugenta é um termo tradicionalmente usado pelos homens para qualificar as mulheres.

Em sua maioria, as mulheres não se consideram rabugentas. Elas acham que se limitam a lembrar aos seus homens as coisas que eles têm de fazer: cumprir sua parte nas tarefas domésticas, tomar os remédios, não abusar da bebida, avisar quando for se atrasar, consertar o que estiver quebrado, tirar roupa suja e toalhas molhadas do chão. Em muito pequenas doses, a rabugice pode até ser considerada construtiva. Onde estariam tantos homens sem uma mulher advertindo-os para não tomar cerveja nem comer sanduíches demais, para que façam regularmente seus exercícios e testes de colesterol? Reclamar, em certas situações, pode servir para mantê-los vivos.

O homem rabugento, no entanto, é coisa que a sociedade vê de um modo inteiramente diverso. Segundo a nossa cultura, os homens não reclamam. Eles são afirmativos, líderes naturais e estão o tempo todo transmitindo o seu saber – e lembrando educadamente às mulheres o caminho a seguir quando elas o esquecem. Sim, eles criticam, vêem defeitos, reclamam e se queixam, mas é sempre para o bem das mulheres. Conselhos como "Confira sempre seu extrato bancário! Quantas vezes eu tenho de lhe dizer?" e "Não dá pra você cuidar um pouquinho mais da sua aparência quando meus amigos vêm à nossa casa?" se repetem com uma persistência admirável e, acima de tudo, mostram o quanto eles se preocupam com elas.

As mulheres também acham que reclamar mostra o quanto elas se preocupam com eles, mas os homens raramente vêem isso da mesma forma. A mulher censura o homem por deixar um rastro de desordem por onde passa, por molhar todo o banheiro quando toma uma chuveirada e por espalhar o jornal enquanto o lê. Ela sabe que está sendo irritante, mas acha que com os homens só se conseguem as coisas repetindo e repetindo as mesmas instruções, até que um dia a ficha caia. Como ela acha que suas queixas são justificadas, mesmo sabendo que está sendo irritante, não se importa em continuar reclamando. As amigas também não acham que ela está sendo rabugenta – para elas o homem é bagunceiro, egoísta, difícil de lidar, razão pela qual a sua companheira sofredora merece toda a simpatia.

Geralmente, porém, quando a mulher começa a repetir suas ordens, o cérebro masculino só ouve uma coisa: "Lá está ela reclamando de novo." Como uma torneira pingando, as reclamações vão lhe consumindo a alma e podem gerar com o tempo um feroz ressentimento. Homens de todos os lugares colocam a "mania de reclamar" no topo da lista de suas aversões particulares. Só nos Estados Unidos, são mais de dois mil casos por ano de homens que matam suas esposas alegando que foram levados a isso pelas reclamações delas. Em Hong Kong, um marido que deu uma martelada na cabeça da esposa, causando-lhe danos cerebrais permanentes, foi beneficiado com redução da pena de prisão por um juiz que considerou que ele foi levado a cometer a violência porque a mulher era excessivamente rabugenta.

A rabugice das mulheres *vs* As lamúrias dos homens

As mulheres reclamam; os homens dão instruções.

Depois de ler *Por que os Homens Fazem Sexo e as Mulheres Fazem Amor?*, um homem que se autodenominou "Jeremy Dominado" enviou-nos o seguinte e-mail:

"Preciso da ajuda de vocês. Sou casado com a Rainha das Reclamações e não suporto nem mais um minuto sua implicância, suas censuras e suas queixas. Da hora em que eu chego em casa até a hora em que vou dormir, ela fica reclamando o tempo todo sem parar.

Chegamos ao ponto em que a única comunicação que há entre nós é ela me dizendo tudo o que eu deixei de fazer durante o dia, a semana, o mês e desde que nos casamos.

A situação está tão ruim que estou pedindo ao patrão para ficar trabalhando depois do expediente. Dá para imaginar? Eu prefiro ficar no trabalho do que voltar para casa. Ficar ouvindo as reclamações dela me causa um estresse tão violento que a dor de cabeça já começa no carro, no caminho de volta. Não devia ser assim – eu devia me alegrar por largar o trabalho e chegar em casa para vê-la.

Meu pai costumava me dizer que toda mulher reclama e enche o saco, mas eu não acreditava nele até me casar. Meus colegas dizem que suas mulheres também reclamam com eles o tempo todo. É verdade que as mulheres são assim de nascença? Por favor, me ajude."

De um grupo de mulheres que jantavam num restaurante ouviu-se a seguinte conversa a respeito de seus maridos:

Loura: "Pois é, ele nunca está satisfeito. Se queixa o tempo todo. Se eu não quero fazer sexo na hora em que ele quer, fica se lamuriando, e eu só cedo para ele calar a boca, mas curto muito pouco. Tem horas que eu não estou a fim, mas ele insiste tanto que no final acho melhor topar do que ficar ouvindo suas lamúrias."

Morena: "Stephen é igualzinho. Acha defeito em tudo o que eu faço. Se eu me arrumo para ir jantar com os amigos dele, reclama dizendo que eu me arrumo mais para os outros do que para ele, que eu acho seus amigos mais atraentes do que ele. Se eu não me arrumo, ele se queixa de que eu não ligo para ele porque não cuido da minha aparência. Às vezes eu penso que é impossível acertar."

Terceira mulher: "Então por que será que os homens dizem que as mulheres torram a paciência deles com suas reclamações?"

Risada geral.

A rabugice através dos tempos

Ao longo da história, as mulheres sempre apareceram como rabugentas, como pessoas que reclamam sem parar. Na literatura, rabugento é um adjetivo que se aplica preferencialmente aos velhos e às mulheres.

Até o século dezenove, as leis inglesas, norte-americanas e européias permitiam que o homem se queixasse ao juiz da implicância ou "rabugice" da sua mulher. Se a acusação ficasse provada, ela era condenada à "cadeira de imersão". A cadeira de imersão ficou famosa nos Estados Unidos e Grã-Bretanha como instrumento de punição de bruxas, prostitutas, autores de pequenos crimes e mulheres rabugentas. A mulher infratora era amarrada numa cadeira pendurada na extremidade de um braço móvel e mergulhada no rio ou lago mais próximo por um período de tempo predeterminado. O número de vezes que ela era imersa dependia da gravidade da ofensa e/ou da quantidade de condenações anteriores.

Um registro de um tribunal inglês do ano de 1592, diz:

"...a esposa de Walter Hycocks e a esposa de Peter Phillips são notórias rabugentas. Fica decidido, portanto, que se lhes dirá na igreja para parar com a rabugice. Mas se seus maridos e vizinhos se queixarem uma segunda vez, elas serão punidas com a cadeira de imersão."

O seguinte poema de autoria de Benjamin West, publicado em 1780, mostra como os homens, em séculos passados, levavam a sério o excesso de reclamações:

A Cadeira de Imersão

Veja lá, meu amigo, no lago do nosso cantão
O engenho chamado cadeira de imersão
Sob o manto da lei ela guia o cortejo,
Alegria e terror do povo do vilarejo.
Se a mulher rabugenta provoca discussão
Com palavras obscenas ou fora de questão;
Se a esposa ruidosa tem a ousadia
De mandar na casa com tremenda gritaria,
Dizes: pára, ou ficarás à míngua;
Na cadeira aprenderás a governar tua língua.
Nela a infratora ocupa o seu posto
Com a carranca pomposa estampada no rosto.
Atada à cadeira, mergulha no tanque,
Mas uma só vez não é ainda o bastante;
A mulher é içada e vocifera
Como jamais ousou nenhuma megera.
Pois quando se atira água à fogueira,
Sobe ainda mais alto a labareda.
É preciso então levar a camponesa
Uma segunda vez às profundezas,
E antes que se perca a paciência,
Uma terceira e quarta vez, sem reticências.
Esposas briguentas, meu caro, nunca mais.
Quando o fogo é ardente, a água fria desfaz.

E quando a cadeira de imersão não era punição suficiente, havia outras possibilidades. Algumas mulheres eram obrigadas a desfilar pela cidade, como uma advertência às outras mulheres, com uma máscara de ferro presa à cabeça com uma barra de metal que ia até dentro da boca para prender a língua. A última mulher a passar pela cadeira de imersão depois de condenada como "rabugenta contumaz", foi Jennifer Pipes, de Leominster, Inglaterra, em 1809.

Como é a rabugenta

A rabugenta sempre espera que sua vítima, movida pelo sentimento de culpa, faça o que ela quer. Seu objetivo é incitar a vítima a obedecer-lhe, senão por achar realmente que precisa fazê-lo, mas para acabar simplesmente com a discussão. As mulheres sabem que reclamam, mas isso não quer dizer que elas gostam de ficar reclamando. Geralmente elas o fazem para alcançar um objetivo.

Algumas mulheres transformaram a rabugice em uma forma de arte. Nós identificamos cinco tipos básicos de reclamação:

A Reclamação Monotemática: "Kurt, por que você não pendura sua toalha?" Pausa. "Kurt, você disse que ia pendurar a toalha." Cinco minutos mais tarde: "E a toalha, Kurt? Ainda está no chão."

A Reclamação Multitemática: "Nigel, a grama do jardim da frente está um nojo, a maçaneta da porta do quarto está caindo e a janela da cozinha ainda está emperrada. Quando é que você vai trocar a lâmpada da sala e...", etc., etc.

A Reclamação Beneficente: "Já tomou seus remédios hoje, Ray? E pare de comer essa pizza – ela faz mal para o seu colesterol e aumenta o seu peso..."

A Reclamação via Terceiros: "Moira disse que Shane já limpou a churrasqueira e que eles vão dar um churrasco amanhã. Na velocidade que você vai, o verão acaba antes."

A Reclamação Antecipada: "Dale, eu só espero que você controle a bebida esta noite. Nós não vamos repetir o vexame do ano passado, vamos?"

Geralmente as mulheres dão gargalhadas com esses relatos. Elas se reconhecem e reconhecem as próprias palavras, mas acham que não há alternativa.

Quando o grau de reclamações fica fora de controle, os relacionamentos da rabugenta com as pessoas pode ser afetado. A tendência do homem é ignorá-la ainda mais, o que só aumenta a sua irritação e às vezes a sua fúria. Sentindo-se sozinha, a rabugenta pode acabar ressentida e infeliz. Quando a rabugice fica fora de controle, ela é capaz de destruir completamente o relacionamento.

Como é a vítima

Do ponto de vista do homem, as reclamações repetidas são um lembrete contínuo, indireto e negativo das coisas que ele deixou de fazer e dos seus defeitos. Elas ocorrem principalmente no fim do dia, justo na hora em que o homem mais precisa de um tempo para ficar "olhando a fogueira", como faziam seus antecessores primitivos ao voltar de um exaustivo dia de caça.

Quanto mais o agressor reclama, mais a vítima se refugia atrás das barreiras defensivas que deixam a mulher enlouquecida – jornais, computadores, trabalho de casa, cara de desânimo, amnésia, surdez aparente e controles remotos. Ninguém gosta de ficar sujeito à raiva contida, a mensagens ambíguas, à autopiedade, à censura, e nem de ser continuamente acusado de tudo. Todo mundo evita a rabugenta, deixando-a sozinha e ressentida. E quanto menos reconhecida, quanto mais prisioneira e isolada ela se sente, mais a vítima está sujeita a sofrer.

Quanto mais reclama, mais isolada fica.

O único resultado concreto do excesso de reclamações é a destruição do relacionamento entre a rabugenta e a vítima, porque a vítima acredita que precisa se defender o tempo todo.

Por que as mulheres são mais rabugentas?

A mulher possui uma estrutura cerebral que lhe permite superar qualquer homem do planeta em termos de falação e rabugice. As ilustrações que se seguem, feitas a partir de exames de ressonância magnética de cinqüenta homens e cinqüenta mulheres, mostram (em negro) as áreas ativas do cérebro usadas para as funções da fala e da linguagem. É uma imagem gráfica de homens e mulheres conversando e se comunicando uns com os outros.

Pode-se ver claramente que as mulheres têm uma capacidade de falar muito maior do que os homens. Isso explica por que as mulheres acham que os homens, de um modo geral, falam pouco e os homens acham que as mulheres falam sem parar.

Áreas do cérebro usadas para a fala e a linguagem.
Instituto de Psiquiatria, Londres, 2001.

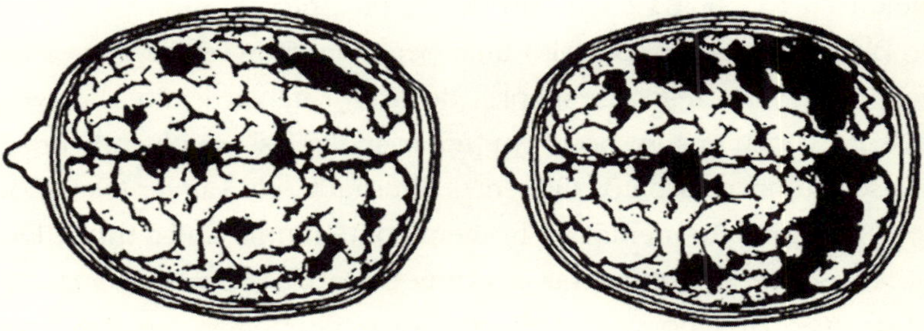

Homem *Mulher*

A mulher tem uma organização mental a que chamamos de trilhas múltiplas – ela é uma malabarista capaz de manter no ar quatro ou cinco bolas ao mesmo tempo. Consegue rodar um programa de computador enquanto fala ao telefone, e ouve uma segunda conversa atrás dela no restaurante enquanto conversa com os companheiros de mesa. É capaz de falar sobre vários temas sem qualquer relação uns com os outros numa mesma conversa e usa cinco tons de voz para mudar de assunto e enfatizar questões. Os homens só conseguem identificar três desses tons e por isso costumam perder o fio da meada quando ouvem uma mulher falando.

As trilhas múltiplas podem se manifestar até numa mesma frase:

Bill: "A Sue virá para o Natal?"

Debbie: "Ela disse que virá dependendo de como ficarem as coisas com as encomendas de tapetes, que diminuíram por causa da crise econômica, e Fiona talvez não venha porque Andrew precisa consultar um especialista, e Nathan perdeu o emprego e tem de procurar outro, e Jodi não pode se ausentar do trabalho – o patrão dele é terrível! –, de modo que a Sue disse que poderia chegar cedo para a gente sair para comprar as roupas para o casamento de Emma, e aí eu pensei que se nós puséssemos ela e o Len no quarto de hóspedes poderíamos pedir ao Ray para chegar cedo para..."

Bill: "Isso quer dizer 'sim' ou 'não'?"

Debbie: "Bem, isso também depende de Adrian, o patrão da Diana, deixar que ela se ausente do trabalho, porque o carro dele está na oficina e ela tem de...", etc., etc.

Bill achava que tinha feito uma pergunta simples e ficaria satisfeito com uma resposta simples do tipo 'sim' ou 'não'. Em vez disso, recebeu uma resposta em "trilhas múltiplas" envolvendo onze pessoas e nove assuntos diferentes. Frustrado, ela vai ver televisão.

A organização mental do homem contém uma única trilha. Ele só consegue se concentrar em uma coisa de cada vez. Quando abre um mapa no carro, ele desliga o rádio. Se a mulher fala quando ele chega a um trevo na estrada, ele erra o caminho e põe a culpa nela por estar falando. Quando o telefone toca, ele pede para todo mundo calar a boca para poder falar. Alguns homens, às vezes situados em posições de poder, têm dificuldade de andar e mascar chiclete ao mesmo tempo.

O cérebro masculino só tem uma trilha.
O homem não consegue fazer amor e explicar ao mesmo tempo por que não levou o lixo para fora.

Uma das situações mais difíceis para o homem é quando a trilha múltipla é ligada durante o processo de reclamação. Aí é demais. Ele simplesmente cala a boca, dando início a um círculo vicioso em que a rabugenta aumenta o volume da voz e a força de suas acusações e reivindicações, e a vítima recua ainda mais para trás da barreira, às vezes física, que usa para se proteger. Como nem sempre é possível sair de cena, a pressão aumenta até o ponto em que a vítima contra-ataca, causando uma áspera discussão que pode até degenerar em violência física.

Por que o excesso de reclamação nunca dá certo?

O principal equívoco da rabugice é a forma de abordar o problema, colocando o homem numa atitude defensiva e bloqueando a absorção da mensagem. A rabugenta trata do problema em parcelas pequenas, mesquinhas, triviais: "Você nunca leva o lixo para fora, você se recusa a recolher suas roupas..." e vai por aí afora. Seus "pedidos" são débeis, choramingados e carregados da culpa que ela quer impor à vítima. Em geral ela os agrupa de uma forma que o cérebro masculino tem limitada capacidade de decifrar. Para o homem, é como ser mordido por uma nuvem de mosquitos: leva picadas por todo o corpo e não consegue matá-los. "Eu não lhe peço para fazer quase nada em casa, peço?... Levar o lixo para fora não é nada demais, é?... e como você sabe, o médico disse que eu não posso pegar peso... passei o fim de semana me matando de trabalhar para deixar essa casa mais ou menos decente e você passou o tempo todo sentado vendo televisão... se você tivesse vergonha na cara ia consertar a torneira, porque esse pinga-pinga está me deixando louca..."

Esse tipo de reclamação é o mais ineficaz possível na obtenção dos objetivos e se torna um hábito destrutivo que produz enorme estresse, desarmonia, ressentimento e raiva, podendo facilmente acabar em reação física violenta.

Onde acontece a pior rabugice?

A rabugice raramente se manifesta no ambiente de trabalho, a menos que o rabugento e a vítima tenham uma relação íntima. Um claro sinal de intimidade entre chefe e secretária é ela reclamar das coisas que ele deixou de fazer.

A origem da rabugice está no equilíbrio de forças entre duas pessoas. Ao notar que o chefe deixou de fazer alguma coisa, a secretária pode gentilmente lembrar-lhe ou simplesmente fazer por ele. Afinal, isso é parte do seu trabalho. Mas quando se sente mais segura de sua posição, mais poderosa, indispensável mesmo, ela pode começar a reclamar com o chefe para que ele seja mais eficiente em seu trabalho. Pode até chegar ao ponto de achar que é capaz de fazer o trabalho melhor do que ele. Nesse estágio, a rabugice pode ir crescendo e, mesmo não tendo força suficiente para lhe tirar o trabalho, a secretária, até inconscientemente, talvez veja a reclamação contínua como uma forma de desgastar o chefe, de "trazê-lo até o seu nível" e fazê-lo perceber o quanto está em falta.

A mulher profissionalmente feliz e realizada raramente reclama em casa. Falta-lhe tempo e energia para isso. Está mais preocupada com o "quadro maior" de sua vida profissional, onde recebe elogios, homenagens e propostas. Tem uma forma mais objetiva de pedir as coisas, e se seu companheiro não faz a sua parte do trabalho doméstico, ela ignora-o, paga alguém para fazê-lo ou arranja um companheiro que faça. Ela atua a partir de uma posição de força.

A chamada "mulher fatal" também não costuma reclamar. Sua

força é de outro tipo: ela usa seu poder sexual para conseguir de seu homem o que quer. Pode ser que ela nem se dê ao trabalho de reclamar da roupa suja espalhada pelo chão – ela própria larga a sua roupa pelo chão, e de um modo muito sensual. No entanto, quando o relacionamento se torna permanente, essa deusa do sexo pode se transformar na pior das rabugentas.

As deusas do sexo não reclamam das roupas largadas pela casa – elas deixam as próprias roupas espalhadas pelo chão.

A mulher loucamente apaixonada também tende a não reclamar. Ela está tão amarrada à visão romântica que criou de seu parceiro, tão ocupada armando planos de fazer amor louca e apaixonadamente em todos os lugares da casa, que não se dá conta de que há roupas pelo chão e louça suja em cima da mesa. Seu parceiro, igualmente absorvido pela excitação do novo relacionamento, fará qualquer coisa para agradá-la. Ninguém sente necessidade de reclamar.

A rabugice sempre acontece entre pessoas que têm uma ligação íntima – esposas, maridos, mães, filhos, filhas e parceiros que coabitam. É por isso que o estereótipo da rabugenta, a rabugenta dos números cômicos, é sempre a esposa ou a mãe – as prisioneiras das tarefas domésticas, que geralmente se sentem sem nenhum poder sobre a própria vida e incapazes de mudá-la de um modo claro e direto.

A mulher profissional irradia força material e psíquica. A do gênero *sexy* transpira força sexual. Ambas são fortes, independentes e livres. A mulher que recorre regularmente à rabugice, porém, se sente sem forças, frustrada, com a única alternativa de ficar batendo o pé, com uma raiva confusa e contida. Ela sabe que a vida pode ser bem melhor, mas se sente culpada demais para admitir que não gosta de seu papel. E fica confusa e perdida por não saber o que pensar.

Séculos de estereótipos, de cultura familiar, de revistas sentimentais e de filmes e comerciais de TV convenceram-na de que o ideal da mulher verdadeiramente feminina é ser a Esposa e

Mãe Perfeita. Mesmo sabendo, no íntimo, que merece mais, ela passou por anos e anos de lavagem cerebral para aceitar uma "verdade" que talvez não lhe sirva mais. Não quer ter em seu túmulo a inscrição "Manteve a cozinha sempre limpa", mas não sabe como se libertar para construir para si uma vida melhor. Muitas vezes ela sequer percebe que seus sentimentos são normais e saudáveis, os mesmos de todas as mulheres.

Nossa pesquisa revela que as mulheres que possuem objetivos bem claros, que trabalham mais de trinta horas por semana, ou que aceitam e exercem com alegria o ritual monótono e repetitivo do trabalho doméstico e da maternidade, raramente são rabugentas.

A rabugice pode ser um apelo por reconhecimento

Reclamar é sinal de que a mulher quer mais: mais reconhecimento da família por tudo o que fez e mais oportunidades para ter algo melhor.

"A minha mãe tem de chamar a atenção das pessoas para tudo o que faz", suspira Adam, um adolescente vítima de constantes reclamações. "Toda vez que lava a louça ou passa o aspirador no tapete ela faz um comentário irônico para chamar a atenção sobre si mesma. Acaba que eu preferia que ela não fizesse nada. Por que é que ela tem de ficar reclamando por causa de qualquer coisinha?"

Ela fica falando sobre "qualquer coisinha" porque a sua vida se transformou numa coleção de pequenas coisas. É difícil uma pessoa se sentir confiante e poderosa se tudo o que fez da manhã à noite é trivial, previsível e rotineiro. Qualquer um pode passar o aspirador no tapete. Ao contrário do soldado, que é enaltecido por dar a vida pelo bem-estar de seu país, ninguém manda gravar o nome dela num memorial de mármore por dedicar a vida ao bem-estar da família. Não existe Prêmio Nobel para a manutenção da paz doméstica. A mãe de Adam reclama com ele, pedindo reconhecimento, justamente porque ninguém dá valor às suas tarefas.

Não se ganha prêmio literário escrevendo fantásticas listas de compras.

A Esposa e Mãe Perfeita não foi torturada (ao menos na acepção comum desse termo) nem passou por padecimentos grandiosos. Suas tarefas cotidianas parecem demasiado banais para justificar protestos e reivindicações de reconhecimento público. Seu sofrimento é de um tipo invisível. É a angústia da maioria oprimida, silenciosa, sofredora.

Se Adam desse à mãe um pouco do reconhecimento que ela implora – e merece –, a qualidade de sua vida teria uma melhora impressionante.

Mulheres cuja rabugice saiu de controle geralmente são esposas e mães solitárias e decepcionadas, que carregam na alma o sentimento frustrante da falta de amor e de reconhecimento. Eis aqui uma das chaves para diminuir a rabugice: dar à rabugenta o reconhecimento devido pelo desempenho das tarefas pequenas e rotineiras da sua vida acaba com a maior parte das reclamações.

O complexo de mãe

Muitas mulheres pensam que são o único adulto sensível da família. Acham que os maridos e namorados agem como crianças. O homem, em seu ambiente de trabalho, pode se comunicar, resolver problemas, produzir resultados positivos e, no final, ganhar um salário significativamente maior do que as mulheres situadas na mesma posição. Como sua parceira sabe que ele tem essas aptidões, fica enormemente frustrada pelo fato de ele não usá-las em casa.

Estudos provam que os homens casados vivem mais tempo do que os solteiros. Mas alguns homens dizem que o tempo é que parece mais longo.

O problema é que freqüentemente a mulher fica tentada a tratar seu parceiro menos como um homem capaz do que como um menino levado. Ele reage então, se comportando como tal. Essa mudança de atitude é a primeira pedra no caminho perigoso do desgaste do relacionamento. Quanto mais o homem se rebela, mais a mulher reclama. Quanto mais ele resiste, mais ela age como se fosse sua mãe. No final, ambos chegam a um ponto em que não se vêem mais como parceiros, amantes e grandes amigos. Para o homem, não há maneira mais segura de matar a paixão do que começar a achar que vive com sua mãe, e, para a mulher, do que sentir que vive com um menininho imaturo, egoísta e preguiçoso.

Soluções para a rabugice: dizer o que se quer

A discussão estava feia. O restaurante inteiro se calou enquanto a voz do casal se erguia, cada vez mais alta. Tudo começara por causa da pizza que eles iriam escolher. Ele queria calabresa com alcaparras. Ela, que *detestava* alcaparras, queria havaiana, e começou a acusá-lo de nunca dar atenção aos seus desejos. Era um absurdo ele dizer que o abacaxi estragava a pizza. Além do mais, se ele se desse ao trabalho de fazer compras e ajudá-la a cozinhar, não seria preciso saírem com tanta freqüência para comer na pizzaria. E ela também não queria comer pizza toda hora: preferia uma comida mais saudável. Com toda essa pizza, ela estava começando a engordar. Será que era pedir demais deixar que ela escolhesse a pizza ao menos uma vez na vida?

Depois dessa última frase, fez-se silêncio. O restaurante inteiro ficou na expectativa de qual seria a resposta do homem. Ele não perdeu a calma. Sorveu o seu vinho, olhou para o chão, para o cardápio, e finalmente de volta para a esposa. "O problema não é a pizza, não é?", disse finalmente. "São os últimos quinze anos."

A rabugice costuma ser sinal de que há um problema de comunicação entre duas pessoas. Mas, em vez de enfrentá-lo, em geral elas se pegam em trivialidades e se atormentam mutuamente com palavras cruéis. Esta é uma tendência especialmente comum entre as mulheres. Muitas meninas ainda crescem acreditando que devem ser simpáticas e doces, e colocar em último lugar os seus sentimentos e necessidades. Quando se tornam adultas, crêem que seu papel é apaziguar, contornar os problemas e serem simpáticas e afetuosas. Muitas mulheres têm dificuldade de dizer simplesmente, não como reclamação, mas como reconhecimento: "Eu não estou feliz com essa vida. Sinto-me sufocada. Quero me afastar disso tudo por duas semanas, me virar sozinha e ter um tempo só para mim. O que você acha de eu deixar as crianças com minha mãe por uma semana, depois você tirar uma semana no trabalho para ficar com elas? Eu acho que isso me faria muito bem e sinto que, ao retornar, eu estarei muito mais feliz e agradável de conviver." Para inúmeras mulheres parece muito mais difícil dizer isso do que bater boca publicamente por causa da escolha de uma pizza.

A mulher geralmente espera que o homem perceba intuitivamente o que ela está querendo expressar ao dizer coisas diferentes do que realmente quer. Ela acha que se bocejar e disser "Estou tão cansada, acho que vou para a cama" e se afastar, o homem vai escovar os dentes, fazer seu gargarejo com halitol, passar desodorante, vestir algo mais confortável, deitar junto dela, aconchegá-la nos braços e procurar reconfortá-la quem sabe até com uma sessão de sexo. Em vez disso, o homem resmunga, vai até a geladeira pegar outra cerveja e se aboleta no sofá para ver futebol na TV. Não lhe passa pela cabeça que sua mulher está falando em código. Sentada sozinha na cama, a mulher acaba desistindo e caindo no sono, com uma sensação de rejeição e desamor.

Reclamações constantes apenas mascaram um problema maior de comunicação. Quando a mulher aprende a dizer direta e serenamente o que quer, o homem responde mais positivamente. A mulher tem de entender que o funcionamento do cérebro masculino é comparativamente mais simples e que os homens raramente conseguem adivinhar o que suas esposas e parceiras *real-*

mente pretendem para além das palavras efetivamente ditas. Quando os dois se dão conta disso, a comunicação melhora e acaba a necessidade da rabugice – do excesso de reclamação ineficaz.

Soluções para a rabugice: dizer o que sente

Um homem jamais lhe dirá que se sente diminuído quando você critica o seu comportamento. Nem dirá que fustigá-lo com reclamações lhe causa os mesmos problemas que ele costumava ter com a mãe quando era adolescente. E nunca lhe dirá que acha você sexualmente tão desinteressante quanto a mãe dele. Quando descobre que você não confia em sua capacidade de tomar decisões acertadas, ele fica se achando um fracasso, alguém que nunca conseguirá satisfazer suas expectativas. E se cala.

Mesmo que vocês conversem bastante, isso não significa que estão conseguindo transmitir corretamente suas mensagens. Quase todos os problemas de relacionamento, como infidelidade, ofensas físicas ou verbais, monotonia, depressão e rabugice são o resultado de problemas de comunicação. Raramente a mulher pergunta: "Por que ele não fala mais comigo?" O homem, por sua vez, mesmo que pense "Minha mulher não sente mais atração por mim", nunca discute o problema com ela.

Se sua mulher está sempre reclamando, é porque está tentando lhe dizer alguma coisa que você não está ouvindo, e portanto vai continuar falando até você ouvir. Você, por sua vez, não escuta porque ela não está lhe transmitindo o problema da forma correta. Como dissemos, as mulheres costumam abordar seus homens de uma forma equivocada, usando linguagem indireta.

Uma noite, Daniel chega tarde em casa vindo do trabalho e encontra sua esposa Sue esperando com cara de poucos amigos. Antes de ele ter chance de dizer qualquer coisa, ela se lança ao ataque:

Sue: "Você não tem consideração! Por que é que chegou tão tarde outra vez? Eu nunca sei onde você está! O jantar ficou frio – você só pensa em você o tempo todo!

Daniel: "Não grita comigo. Você está reclamando e exagerando como sempre! Eu trabalho até tarde para nós termos dinheiro e conforto... mas para você isso não basta!"

Sue: "Você é mesmo egoísta! Que tal colocar sua família em primeiro lugar uma vez na vida? Você nunca faz nada nesta casa – espera que eu faça tudo!"

Daniel (se afastando): "Larga do meu pé! Estou morto, quero descansar. Você só sabe reclamar comigo o tempo todo."

Sue (furiosa): "Ah, então é assim! Vai logo saindo de fininho, não é? Agindo que nem criança outra vez. Sabe qual é o seu problema? Você está sempre fugindo das coisas, nunca quer falar sobre elas!"

Em vez de comunicar o que realmente sentia através de um discurso direto, Sue expressou sua hostilidade de forma indireta, levando Daniel a adotar um comportamento defensivo.

Depois que Daniel entra com posição defensiva, a comunicação se interrompe, impedindo que a situação se esclareça. Nenhum dos dois está escutando nem prestando atenção. Sue repete a mesma mensagem o tempo todo e Daniel sempre se omite, achando que ela não passa de uma insuportável rabugenta.

Simplesmente eles estão deixando de dizer como realmente se sentem. E seus problemas só tendem a piorar.

Soluções para a rabugice: a técnica do "Eu"

Para conseguir a atenção de Daniel, a primeira coisa que Sue deve fazer é evitar partir para cima dele, colocando-o na defensiva. Ela pode usar a técnica do "Eu", em vez de usar o tempo todo a palavra *você*.

Eis aqui algumas frases do tipo *você*, usadas por Sue, que deixam Daniel profundamente irritado:

– Você não tem consideração!

– Você é um egoísta!

– Você está outra vez agindo como criança!

– Você sabe muito bem qual é o seu problema!

– Você está sempre fugindo!

A língua do "você" é de ataque, e sempre coloca o outro na defensiva. É como se Sue fosse um promotor, de dedo em riste na acusação. A técnica do "Eu" permite que ela comunique seus sentimentos a respeito do comportamento de Daniel, sem julgá-los. Esta técnica permite que você mantenha uma conversa normal com seu parceiro sem precisar brigar. Ela acaba com a discussão – para sempre.

A técnica do "Eu" tem quatro partes. Ela descreve o comportamento do seu parceiro, sua interpretação desse comportamento, seus sentimentos e o impacto que esse comportamento tem sobre você.

Eis como Sue poderia lidar com Daniel, falando o mais suavemente possível:

Sue: "Daniel, você está chegando tarde a semana inteira e não me telefona para avisar [comportamento]. Está havendo algum problema, você está saindo com alguém? [interpretação]. *Eu* estou começando a achar que você não se interessa e nem gosta mais de mim. Com isso *eu* fico magoada [sentimentos]. Quando isso acontece, *eu* fico louca de preocupação com o que pode ter acontecido [conseqüências]."

Daniel: "Sue, *me* desculpe. Eu não imaginava que você estivesse se sentindo assim. *Eu* não estou evitando você. *Eu* gosto de você de verdade. E (*eu*) não estou saindo com ninguém, querida. *Eu* tenho andado tão atarefado no trabalho ultimamente, tenho trabalhado tanto, que estou ficando estressado. Quando chego em casa, [*eu*] estou tão cansado que preciso de um tempinho para mim mesmo. *Eu* não quero que você se sinta assim, e (eu) prometo que daqui em diante (eu) vou telefonar para você toda vez que tiver de ficar no trabalho até mais tarde."

A técnica do "Eu" é poderosa porque reduz a atitude de defesa, aumenta a sinceridade e esclarece os sentimentos de todos. É quase impossível irritar alguém com essa técnica.

No exemplo acima, as mensagens de Daniel e Sue foram claramente comunicadas, resolvendo o problema. As declarações do tipo "Eu" funcionam melhor quando são expressas na hora adequada, da maneira adequada e no tom de voz adequado.

Portanto, respire fundo algumas vezes, espere até sua raiva aplacar e o outro ter condições de ouvir.

Soluções para a rabugice: Deixar o homem olhando a fogueira por uns trinta minutos

Quando o homem primitivo voltava para a caverna, depois de um exaustivo dia de caçada para alimentar a família, precisava ficar uns trinta minutos olhando a fogueira, sem falar, para recobrar as energias. O mesmo acontece com um homem que chega tarde do seu trabalho: precisa de um tempo para se recuperar. A maioria das mulheres, porém, quer falar imediatamente. Eis aqui como aplicar essa técnica.

Daniel: "Querida, *eu* tive um dia realmente longo e difícil – me dá meia hora para eu poder assentar a poeira e relaxar? *Eu* prometo que depois converso com você."

Sue: "Meu bem, *eu* preciso conversar com você sobre o que aconteceu hoje. Quando é que vamos poder falar?"

Se Daniel concorda com uma determinada hora (e a respeita) e Sue espera enquanto ele "olha a fogueira", não há discussão, não há tensão e ninguém se sente intimidado.

Soluções para a rabugice: quem treina quem?

Parte da responsabilidade dos pais consiste em lembrar, persuadir e até exigir das crianças determinados comportamentos com vista à sua segurança, seu bem-estar e seu sucesso na vida. Mas em que ponto o exercício dessa responsabilidade se converte em rabugice? E de quem é a culpa, se em casa há um pai ou uma mãe reclamando o tempo todo: da criança desobediente ou da mãe ou do pai rabugentos? A resposta correta é: do pai ou da mãe.

Os pais condicionam o padrão de comportamento da criança. Se o padrão dos pais é lembrar, insistir e pedir várias vezes antes de a criança atender, ela aprende que não é necessário atender ao primeiro chamado. Dessa forma, a criança treina o responsável para ficar repetindo a exigência e, no fundo, acha que ele não quer que a exigência seja cumprida.

Para você, responsável, este é um círculo vicioso. Quanto mais você repete e reclama, mais a criança resiste. Quanto mais você se frustra com a desobediência dela, mais enfático e zangado fica. Aí a criança começa a se ressentir dessa zanga porque realmente acha que não fez nada de errado. Fica confusa e frustrada. O que começou como um simples pedido de "Venha jantar!" vira uma guerra.

A relação pais rabugentos/filhos desobedientes pode ser facilmente corrigida. Tudo de que vocês precisam é disciplina e firmeza – com vocês mesmos, bem entendido, não com a criança.

Sejam firmes com vocês mesmos,
não apenas com seus filhos.

Prepare-se para não ceder numa situação específica durante trinta dias sem vacilar. Diga aos seu filhos que você vai pedir a cooperação deles uma única vez, e que, se eles não atenderem, a escolha é deles próprios. Indique então as conseqüências da desobediência.

Por exemplo: "Jade, eu quero que você pegue a sua roupa suja do chão do quarto e coloque no cesto. Se você não colocar lá, ela não será lavada."

É aqui que a autodisciplina e a firmeza entram em cena. Quem vai ceder primeiro? Se você ceder e recolher a roupa, volta ao ponto de partida. Se tiver autodisciplina e firmeza, deixará a roupa suja acumular e não dará ouvidos às queixas de falta do que vestir. Pode parecer cruel, mas você estará ensinando hábitos responsáveis, sem falar que terá uma casa mais feliz. E os futuros parceiros de seus filhos não irão reclamar de seus maus hábitos.

O comportamento dos filhos é o resultado direto do treinamento dado pelos pais, para o bem e para o mal.

Não reclame com eles – treine-os

Se você percebe que está o tempo todo reclamando com uma

pessoa, isso quer dizer que essa pessoa treinou você para fazer o que ela quer que *você* faça. Em outras palavras, ela está criando as regras e você está obedecendo. Digamos, por exemplo, que você pede mil vezes a alguém para não largar a toalha molhada no chão do banheiro, e a pessoa continua fazendo a mesma coisa. Então você acaba recolhendo as toalhas usadas porque não gosta de bagunça no banheiro e porque acha que, se você não pegar, ninguém vai pegar e não haverá mais toalhas secas para usar. O que acontece neste caso é que a outra pessoa sabe que no final você vai acabar pegando a toalha – basta ela agüentar as suas reclamações, o que é um preço provavelmente pequeno a pagar. Portanto, você se deixou treinar pela outra pessoa.

Eis como reverter a situação: dê uma toalha limpa – de preferência de cores diferentes – a cada criança e/ou adulto da casa e diga-lhes que essa é a sua toalha pessoal, pela qual eles têm de ser totalmente responsáveis. Diga-lhes que, se alguma toalha suja ou molhada for deixada no chão, você vai apanhá-la porque não gosta de bagunça no banheiro e isso infringe o seu direito de ter uma casa limpa. Diga-lhes que vai colocar a toalha do infrator no quintal, em cima do muro, na casa do cachorro ou debaixo do travesseiro dele. Na primeira vez que você aplicar essa tática haverá gargalhadas, confusão e protestos. Siga em frente e leve até o fim o seu propósito, do contrário você continuará sendo a pessoa treinada.

Digamos, por exemplo, que da próxima vez que isso acontecer você coloca a toalha molhada no fundo do armário das vassouras. Quando o infrator for tomar banho, irá descobrir como é desagradável se enxugar com uma toalha úmida e fedorenta. Duas ou três vezes bastam para ele ser treinado a recolher e pendurar sua toalha. A mesma técnica funciona com meias sujas, roupa de baixo e qualquer coisa que você não queira ver jogada pela casa. Com essa técnica, você se torna o treinador e não o treinado, e as reclamações não serão mais necessárias. Se, no entanto, você seguir recolhendo as coisas de todo mundo, terá optado por continuar sendo a pessoa treinada e perderá o direito de reclamar com quem quer que seja por deixar as roupas espalhadas pelo chão.

Soluções para a rabugice: um estudo de caso com crianças

Cameron, treze anos, recebeu a incumbência de levar o lixo para fora toda quarta-feira à noite. Ele costumava dizer que levaria o lixo depois do jantar, ou depois que acabasse o filme, ou assim que saísse do banho, mas sempre esquecia de fazê-lo. Semana após semana, o cheiro de comida estragada ia se espalhando pela casa à medida que o lixo se amontoava. A mãe deixou de pedir e passou a reclamar. A família toda já não suportava as reclamações e não agüentava mais sentir o cheiro de lixo. Mas Cameron não estava nem aí – ele simplesmente esquecia e pouco se importava com as reclamações.

Finalmente, a mãe de Cameron se deu conta de que o filho a havia treinado para reclamar e resolveu reagir. Disse-lhe que, como ele não cumpria com sua responsabilidade de levar o lixo para fora, toda a família estava sofrendo com o cheiro de comida estragada. E comunicou as conseqüências que ele iria sofrer por sua desobediência: o lixo que não fosse levado para fora seria colocado em seu quarto. Já que ele não se incomodava com o cheiro de comida estragada, não teria problema de dormir com ela. A coisa lhe foi apresentada de maneira divertida, relaxada, não-agressiva.

A família mal pôde esperar a noite de quarta-feira. Como de hábito, Cameron esqueceu de levar o lixo. Na noite seguinte, quando puxou o lençol para deitar na cama, ele a encontrou cheia de lixo estragado. O quarto fedia! O custo dessa lição foram alguns lençóis sujos e fedorentos que Cameron foi obrigado a lavar – ele sabia as conseqüências. Mas nunca mais esqueceu de tirar o lixo.

Como entender uma rabugenta

Se a vítima for honesta consigo mesma, admitindo que existe

alguma verdade nas reclamações da rabugenta e reconhecendo que a rabugice é geralmente um grito por reconhecimento, o problema pode ser rapidamente transformado em uma situação em que todos ganham. Sentir-se importante é a maior necessidade da natureza humana. As pesquisas têm demonstrado, inúmeras vezes, que as pessoas que trabalham o dia inteiro, que têm a sua contribuição e o seu esforço reconhecidos, reclamam menos do que aquelas que passam longos períodos dentro de casa, isoladas de outros adultos. Do mesmo modo, as donas-de-casa que realmente gostam do que fazem, que sentem orgulho de manter um lar limpo e confortável, de preparar uma comida boa e saudável e dar carinho para a sua família, também não costumam reclamar – desde que recebam a gratidão e o reconhecimento devidos.

Os rabugentos são geralmente pessoas que executam trabalhos monótonos e repetitivos ou que se ressentem de estar isolados em casa. Para algumas mulheres, lavar a roupa, limpar os tapetes, fazer as camas, fazer as compras e cozinhar, não vendo sentido maior no que fazem, pode entorpecer a mente depois de um ou dois anos. Se acrescentamos a este coquetel filhos malcriados que desfazem em dez minutos o trabalho de um dia inteiro, temos uma pessoa que vai recorrer à rabugice para chamar a atenção e tentar fazer com que as outras pessoas se sintam tão infelizes quanto ela.

Quando o fundamento da reclamação é verdadeiro, a vítima tem de admitir a sua parcela de responsabilidade pela rabugice. A rabugice é o resultado da falta de comunicação.

O desafio da vítima

Para atingir uma situação onde todos vencem, as duas partes precisam querer e dividir a responsabilidade pela mudança. A vítima das reclamações deve reconhecer e aceitar que tem de contribuir para a solução do problema.

A tendência da vítima é desenvolver um comportamento

agressivo ou omisso, o que torna as coisas mais difíceis. Ela ignora a rabugenta, tenta gritar ainda mais alto, sai da sala ou da casa e inventa desculpas para não atender os seus pedidos. A vítima não reflete sobre sua parcela de responsabilidade, até porque está infernizada pelas reclamações, e coloca toda a culpa sobre a rabugenta. A única saída é parar e fazer uma auto-avaliação, vendo na rabugice um pedido de socorro:

- Você está ouvindo a outra pessoa?
- Você entende a frustração da outra pessoa?
- Você exibe superioridade, fazendo-a sentir-se desvalorizada?
- Você reconhece as realizações da outra pessoa?
- Você se recusa a dividir o trabalho doméstico porque acha que quem traz o dinheiro merece ficar em casa numa boa?
- Você é absolutamente preguiçoso e imprestável?
- Existe alguma raiva profunda que alimenta a sua má-vontade de entender os problemas do outro?
- Você quer ser feliz?

Se você quer realmente ser feliz, sente-se capaz de sentar com a outra pessoa e falar sobre os problemas de vocês?

O desafio da rabugenta

Se você é rabugenta, já parou para pensar que o outro pode não ter capacidade de atender os seus pedidos? Você está se comportando como se fosse a mãe autoritária dele? Exige que ele atenda imediatamente seus pedidos e reclamações, independente das necessidades dele naquele momento? Você repete o tempo todo as suas demandas?

- Se sua resposta para qualquer dessas perguntas é sim, sente-se com o outro e comunique-se usando a língua do “Eu”.
- Diga-lhe o que está deixando você frustrada.
- Faça um acordo do melhor horário para as suas solicitações.
- Pare de ficar se repetindo.
- Afirme suas necessidades e sentimentos e ouça atentamente a resposta de seu marido.

- Procure saber a opinião dele. Talvez ele tenha uma idéia melhor.
- Evite frases acusatórias do tipo "Você", que produzem resistência no outro.
- Qual será a solução ou as conseqüências no caso de ele não modificar seu comportamento negligente?
- O que você está fazendo para melhorar sua auto-imagem?
- Você se gratifica sempre que atinge seus objetivos?
- Você quer ser feliz?

Para muitas pessoas, reclamar pode se transformar num hábito, um meio de se comunicar que faz delas pessoas emburradas, infelizes e ressentidas com aqueles que deveriam ser uma fonte cotidiana de alegria, calor e apoio. Mas as coisas não precisam ser assim. Seguindo nossas estratégias simples, você pode construir um futuro muito mais feliz e amoroso para ambos.

Capítulo 2

Sete Coisas que os Homens Fazem Deixando as Mulheres Loucas

Não é fácil dizer o número de características irritantes que as mulheres vêem nos homens, mas, pelas cartas que recebemos de mais de cinco mil leitoras, chegamos às sete perguntas que as mulheres fazem com maior freqüência sobre os homens.

- Por que os homens oferecem soluções e dão conselhos o tempo todo?
- Por que os homens ficam passeando pelos canais de TV com o controle remoto?
- Por que os homens não param o carro para pedir orientação?
- Por que os homens insistem em deixar o assento do vaso sanitário levantado?
- Por que os homens criam tanto problema para ir fazer compras?
- Por que os homens têm hábitos pessoais tão desagradáveis?
- Por que os homens gostam de piadas grosseiras?

Esses hábitos dos homens que as mulheres classificam de "maus" pertencem a duas categorias: os que eles aprenderam em sua criação e os que estão relacionados com a programação do cérebro masculino Mas ambos são passíveis de solução. Todo mundo pode ser reeducado, basta saber como fazê-lo.

Por que os homens oferecem soluções e dão conselhos o tempo todo?

"O meu marido está me irritando imensamente com a sua mania de querer arranjar solução para tudo. Ele vive me dando conselhos sobre como lidar com todos os problemas da minha vida – mesmo que eu não queira! Quando eu só quero falar sobre meu dia e meus sentimentos, ele fica me interrompendo para dizer o que eu devo fazer, pensar e dizer. Ele é o máximo para resolver problemas quando se trata de "coisas" – torneiras pingando, lâmpadas queimadas, defeitos no carro e no computador e coisas assim –, mas quando se trata de me ouvir, ele simplesmente não funciona. E se eu não sigo seus "conselhos", ele fica aborrecido.

Karen 'Quase Louca'."

Para saber por que o homem insiste em dar soluções para toda e qualquer situação, é necessário conhecer algumas características do modo de operação do cérebro masculino.

Desde as eras mais primitivas, o macho evoluiu como caçador. A capacidade de atingir alvos móveis, fundamental para que todos pudessem se alimentar, foi sua grande contribuição para a sobrevivência da raça humana. Ele necessitava de precisão para atingir a presa e eliminar os inimigos que lhe disputavam a comida e ameaçavam sua família. Em conseqüência, desenvolveu-se em seu cérebro uma área denominada "visual-espacial" que lhe permite realizar com sucesso toda a sua razão de viver: atingir objetivos e resolver problemas. Os homens se tornaram pessoas direcionadas para os resultados e medem o próprio sucesso pelas realizações e pela capacidade de resolver problemas. Em suma, os homens se definem e se auto-avaliam segundo sua capacidade de resolver problemas.

O homem se valoriza pelos resultados que é capaz de alcançar ou pela precisão com que consegue atingir uma zebra em movimento.

Todo homem acha que é a única pessoa capacitada para resolver os próprios problemas e por isso não acha necessário discuti-los com ninguém. Ele só pede ajuda a outra pessoa quando sente necessidade de uma opinião especializada, e considera que assim está dando um inteligente passo estratégico. O homem a quem ele pede opinião, por sua vez, se sente honrado com a consulta.

Quando um homem pede conselho a outro homem, aquele que dá o conselho encara a consulta como um elogio.

Por isso, quando a mulher oferece um conselho que o homem não pediu, ele sente como se ela declarasse que o considera incompetente, incapaz de resolver seus problemas. Para o homem, pedir conselho é uma demonstração de fraqueza, pois ele acha que deveria resolver seus problemas sozinho. É por isso que ele raramente fala a respeito das coisas que o preocupam. Ele adora oferecer soluções e conselhos aos outros, mas conselhos não solicitados, especialmente se partem de uma mulher, não são bem-vindos.

Por que as mulheres se aborrecem com as soluções masculinas?

O cérebro da mulher está estruturado para a comunicação por meio da fala, e o principal propósito da fala é um só: falar. Na maior parte das vezes, ela não está procurando respostas e muito menos pedindo soluções. Eis aqui o problema da maioria dos casais: à noite, ela geralmente quer falar sobre os acontecimentos do dia e compartilhar seus sentimentos, mas, como ele pensa que ela está trazendo seus problemas para ele resolver, começa a oferecer soluções. Ela se chateia porque ele não presta atenção no que ela está dizendo e ele fica zangado porque ela não aceita as suas soluções. "Por que você não cala a boca e escuta?", ela reclama veementemente enquanto se dirige para a porta. "Se você não quer a minha opinião", ele grita de volta enquanto a porta bate, "não peça!" Cada um acha que o outro não dá valor ao que está dizendo.

A mulher quer apenas que o homem a ouça com interesse, mas ele pensa que ela está lhe pedindo uma solução.

Ele acha que está sendo atencioso e amoroso quando procura resolver os problemas da mulher. Ela pensa que ele é indiferente ou está ignorando seus sentimentos ao não escutar.

Estudo de caso: Sarah e Andy

Sarah teve um dia difícil no trabalho: o chefe ficou marcando em cima, ela foi censurada por um erro administrativo, perdeu a carteira e quebrou uma unha. Ela sente que seu mundo está desmoronando e quer conversar com Andy sobre o assunto quando chegar em casa.

Ela prepara um bom jantar na expectativa de que terão uma conversa longa e franca enquanto comem. Ele será amável e simpático. Ela poderá abrir o coração com alguém que gosta dela, sabendo que depois vai se sentir muito melhor. Ela quer que ele escute, que a faça sentir-se amada e compreendida e que transmita a convicção de que ela será capaz de resolver seus problemas.

Mas Andy também teve um dia difícil. Encerrou o expediente com vários problemas importantes ainda pendentes, que terá de resolver antes de voltar para o trabalho no dia seguinte. No caminho de casa, sua mente continua trabalhando em busca de soluções. Sarah lhe telefonou contando que teve um dia ruim, mas ele realmente precisa de um tempo para resolver seus próprios problemas.

Ele chega em casa, dá um rápido "oi" a Sarah e vai para a sala assistir ao noticiário da TV. Ela dá uma olhada na comida e diz que o jantar estará pronto em quinze minutos. Ele pensa: "Ótimo!

Quinze minutos de sossego antes de comer." Sarah pensa: "Ótimo! Quinze minutos para ir conversando antes do jantar."

Sarah: "Como foi o seu dia, querido?"

Andy: "Bem."

Sarah: "Eu tive o pior dia da minha vida, não estou agüentando mais!"

Andy (ainda com um olho nas notícias): "Você não está agüentando mais o quê?"

Sarah: "O meu chefe está me criando o maior problema. Quando cheguei para trabalhar de manhã, ele disse cobras e lagartos do meu trabalho e quis saber por que eu não tinha ainda terminado a nova campanha de publicidade. Depois me disse que queria ela pronta no fim da semana e que estava agendando com o cliente uma reunião na segunda-feira para ver o trabalho. Quando eu tentei explicar que a campanha não estava pronta porque ainda estou trabalhando no projeto Seinfield, que ele me tinha dito que era urgente, e que eu não teria como terminar os dois projetos nesse prazo, ele me interrompeu dizendo que não queria mais ouvir desculpas e que queria a campanha na sua mesa antes de eu encerrar o expediente na sexta-feira. Dá pra acreditar? Ele simplesmente não me ouviu... (ficando danada da vida) ...aí mudou de assunto e disse que me veria às seis da tarde de sexta-feira para examinar os problemas de última hora. Tive vontade de ir embora. Eu acho que não agüento mais isso..."

Andy: "Olha, Sarah, é simples... o que você tem de fazer é se defender, dizer a ele que você não pode terminar os dois projetos ao mesmo tempo e perguntar qual dos dois ele quer primeiro. Amanhã você vai lá e diz a ele que esse prazo é impossível, que ele vai precisar ajustá-lo ou colocar alguém para ajudar você com os dois projetos."

Sarah (ficando emotiva): "Eu não posso acreditar no que estou ouvindo! Estou falando com você sobre o chefe que fica me dando ordens e não me ouve, e você começa a dizer tudo o que eu tenho de fazer. Não dá pra você simplesmente me ouvir? Estou cheia de homens que sempre sabem de tudo."

Andy: “Saraaah! Se você não quer a minha opinião, não me venha falar de seus problemas. Resolva-os você mesma e pare de se queixar comigo! Eu já tenho problemas suficientes que, por sinal, sempre resolvo sozinho!”

Sarah (quase chorando): “Ah, é? Então vá se danar! Eu arranjo outra pessoa que me escute e que não vai ficar me dizendo o que eu fiz de errado! Você cuida do seu jantar! Eu vou sair e não sei a que horas volto!”

Para homens e mulheres do mundo todo, esta é uma cena bastante comum. No final, Sarah se sente abandonada, desamada e ferida. Andy se sente desvalorizado e perplexo, porque Sarah criticou justamente a sua maior aptidão: resover problemas.

Como Andy poderia ter lidado com a situação

Vamos retroceder a fita e ver como Andy podia ter evitado uma noite tão ruim.

Sarah: “Como foi o seu dia, querido?”

Andy: “Foi bom. Tenho alguns problemas de trabalho para resolver de manhã, mas vou ficar melhor depois que puder pensar um pouco neles.”

Sarah: “Eu tive o pior dia da minha vida, não estou agüentando mais!”

Andy: “Ah, meu amorzinho, quero que você me conte tudo o que aconteceu, mas antes me dê uns quinze minutinhos para eu resolver meus problemas de trabalho. Durante o jantar vou ouvi-la com a maior atenção e carinho.”

Sarah: “Está bem... eu chamo você quando o jantar estiver pronto. Quer um drinque agora?”

Andy: “Obrigado, querida... Eu adoraria.”

Ao pedir quinze minutos e obtê-los, Andy tem agora tempo e espaço para “sentar-se diante da fogueira” e pensar nos seus problemas. Sarah se sente confiante e feliz, porque ele lhe dará toda a atenção durante o jantar. Ela vai poder desabafar e se sentir melhor com a vida.

Eis como foi o jantar:

Sarah: "Meu chefe está me criando o maior problema. Quando cheguei para trabalhar hoje de manhã, ele disse cobras e lagartos do meu trabalho e quis saber por que eu não tinha terminado a nova campanha publicitária. Aí, ele me disse que queria ela pronta no fim da semana e que estava agendando com o cliente para vir na segunda-feira ver o nosso trabalho. Quando tentei explicar que a campanha não estava pronta porque eu ainda estou trabalhando no projeto Seinfield, que ele me tinha dito que era urgente..."

Andy (com uma expressão de interesse): "Querida, mas que coisa terrível! Será que ele não sabe que você anda trabalhando à beça? Você parece tão estressada..."

Sarah: "Você nem sabe como eu ando estressada! Bem, mas aí eu comecei a explicar que a campanha não foi terminada porque o projeto Seinfield consome muito tempo. Mas no meio da minha explicação ele simplesmente me interrompeu dizendo que não queria mais ouvir desculpas e queria a campanha na sua mesa na sexta-feira, antes do fim do expediente! Dá pra acreditar?"

Andy (demonstrando interesse e resistindo a dar conselhos): "Parece que ele está realmente criando um problema bem difícil para você..."

Sarah: "Ele simplesmente não me escutou... mudou de assunto e disse que me veria às seis da tarde na sexta-feira para tratar de alguma mudança de última hora. Eu estou tão estressada que tenho vontade de ir embora..."

Andy (abraçando-a): "Que dia difícil você teve, querida. O que é que você pretende fazer?"

Sarah: "Vou pensar no assunto esta noite, acordar cedo de manhã e, se não tiver nenhuma boa idéia, eu gostaria realmente que você me ajudasse a achar uma solução. Estou cansada e estressada demais, mas fiquei muito feliz de poder contar para você. Obrigada por me ouvir, querido. Estou me sentindo muito melhor agora..."

Ao não oferecer soluções imediatas, Andy evitou uma discussão, ganhou um drinque e não acabou dormindo sozinho no sofá da sala. E Sarah, ao dar a Andy um tempo para ele mesmo, evitou as discussões habituais e se sentiu feliz consigo mesma e com a vida.

Quando você quer fazer negócio com o sexo oposto

Homens e mulheres fazem negócios de maneira muito diferente, e quando as duas partes não entendem plenamente o que isso implica, o seu relacionamento comercial pode vir a ser financeiramente desastroso. A mulher, antes de começar a tratar de negócios, tem necessidade de estabelecer um relacionamento com o homem, conversar sobre diversos assuntos, às vezes num nível bastante pessoal, para ver que tipo de pessoa ele é, e se é confiável. Muitos homens têm um entendimento equivocado desse comportamento. Alguns chegam a pensar que ela está lhe dando papo por motivos sexuais ou, na melhor das hipóteses, supõem que ela está pedindo conselhos sobre como resolver seus problemas. Aí eles se sentem no direito de oferecer soluções e dizer o que ela deve fazer.

A mulher se ressente muito disso. O mais provável é que ela classifique o homem como uma pessoa que não escuta e que não lhe dará a devida atenção no caso de fazerem negócios juntos. Passa a tratá-lo com reservas, deixando-o confuso e aturdido com o mau funcionamento de seu relacionamento comercial. O homem precisa entender que, até nos negócios, é mais fácil lidar com uma mulher quando ela primeiro estabelece uma ligação pessoal. E a mulher precisa entender que o homem se sente desconfortável discutindo assuntos pessoais e por isso prefere passar direto aos negócios. Quando as duas partes se compreendem, tornam-se muito mais propensas a assumir compromissos – o que a longo prazo leva a um relacionamento comercial muito mais consistente.

Como evitar discussões com o sexo oposto

Quando a mulher está tensa e preocupada, precisando conversar, o melhor e mais simples é dizer ao homem: "Eu preciso conversar com você sobre várias coisas. Não preciso de soluções, só quero que você ouça." Com essa abordagem, o homem fica satisfeito e sabendo exatamente o que ela espera dele.

Solução

Quando a mulher fala e o homem não sabe se ela está pedindo soluções ou apenas desabafando, basta perguntar: "Você quer que eu ouça ou quer que eu ajude a encontrar soluções?" Dependendo do que ela disser, ele saberá como comportar-se.

Em geral, a mulher quer ser ouvida, não aconselhada.

Resumindo: conselhos são percebidos de maneira diferente por homens e mulheres. Para o homem, dar conselhos é ser atencioso e demonstrar amor, mas a mulher pode interpretá-los como prova de que o homem não está disposto a ouvi-la. A lição aqui é simples e definitiva: para o homem, ouvir com empatia, principalmente quando a mulher se mostra preocupada, e, caso não esteja seguro do que ela deseja, perguntar. Para a mulher, deixar claro o que espera do homem com quem está desabafando.

Por que os homens ficam passeando pelos canais de TV com o controle remoto?

Controle remoto. Definição feminina: Aparelho que serve para mudar de um canal da TV para outro. Definição masculina: Aparelho que serve para percorrer todos os 55 canais a cada dois minutos e meio.

Durante milhares de anos o homem passou parte da noite olhando a fogueira depois de voltar da caçada. Ele se sentava entre os companheiros, em estado de transe, e ficava longos períodos sem se comunicar. Os companheiros nunca lhe pediam para falar ou participar. Para o homem, esta é uma forma eficiente de aliviar o estresse e de recarregar as baterias para as atividades do dia seguinte.

O homem moderno ainda olha para a fogueira no fim do dia, mas agora recorrendo a jornais, livros e controles remotos. Certa vez, quando estávamos no longínquo delta do Okavango, ao norte do deserto de Kalahari, no sul da África, notamos uma antena movida a energia solar em cima de uma cabana da aldeia. Entramos e vimos um grupo de mateiros do Kalahari, vestidos de tangas, na frente da televisão, com um controle remoto passando de mão em mão, cada um esperando a sua vez de ficar passeando pelos canais.

No paraíso, cada homem tem três controles remotos e os assentos do vaso sanitário ficam sempre levantados.

As mulheres de todo o mundo têm uma aversão especial pelo hábito masculino de ficar mudando de canal.

Ao fim de um longo dia, a mulher gosta de relaxar assistindo a um programa de televisão, de preferência uma novela cheia de relacionamentos e cenas de emoção. O cérebro da mulher está estruturado para interpretar as palavras e a linguagem corporal dos atores, ela gosta de prever os resultados das situações e também de assistir aos comerciais. Para o homem, porém, ver televisão é um processo totalmente diferente, que existe para satisfazer dois impulsos principais. Por ter o cérebro orientado para a resolução de problemas, ele está interessado em chegar o mais rápido possível às conclusões. Passeando pelos canais, ele analisa os problemas de cada programa e reflete a respeito das soluções cabíveis. Em segundo lugar, o homem gosta de esquecer seus problemas vendo os problemas dos outros, o que é uma das explicações para o fato de a quantidade de homens que assistem aos noticiários da TV ser seis vezes maior que a de mulheres. Como a mente do homem só é capaz de fazer uma coisa de cada vez, olhar os problemas das outras pessoas sem se sentir responsável por eles lhe permite esquecer as próprias preocupações. Trata-se, pois, de uma forma de aliviar o estresse, assim como navegar pela Internet, consertar o carro, regar as plantas, fazer ginástica ou a opção quase sempre favorita, fazer sexo. Concentrado em uma coisa, o homem consegue esquecer seus problemas e se sentir em paz consigo mesmo.

Os homens não querem saber o que está passando na televisão, eles querem saber o que mais está passando na televisão.

Quando uma mulher está preocupada com um problema, dedicar-se a qualquer uma dessas atividades não faz a menor diferença – o problema continuará preocupando a sua mente, capaz de ocupar-se de vários assuntos ao mesmo tempo. Ela precisa falar sobre o problema para obter algum alívio.

Essa diferença básica entre os sexos é uma freqüente fonte de problemas. A mulher tenta conversar com o homem justamente na hora em que ele está lendo o jornal ou navegando pelos canais. Como ele não responde ao que ela fala, ela desafia, perguntando: "Qual foi a última coisa que eu disse?" Para sua frustração, ele geralmente é capaz de dizer. Ele escutou a falação da mulher, mas, com o cérebro ocupado na tarefa de ler o jornal, não estava realmente ouvindo nem analisando o que ela dizia. Apenas lembrava as palavras dela.

A mulher costuma acusar o homem de estar a quilômetros de distância quando ela tenta conversar. Isso o deixa confuso, pois ele acha que sua mera presença física é suficiente. A mulher, porém, quer que ele esteja presente também emocionalmente. Ela se ressente da aparente desatenção do homem e a interpreta como desinteresse pela pessoa dela. O homem se ressente de não poder desfrutar um momento de ociosidade, mesmo depois de ter tentado oferecer soluções e ser rejeitado. Quanto mais a mulher insiste, mais o homem resiste. Quanto mais ele resiste, mais ressentida ela fica.

A mulher precisa entender que olhar a fogueira é a forma que o homem tem de aliviar o estresse e, portanto, não deve tomar essa atitude em termos pessoais. Quando ele fala, é uma coisa de cada vez. O cérebro feminino, de trilhas múltiplas, permite que ela fale sobre uma diversidade de coisas, passadas, presentes e futuras, todas ao mesmo tempo.

O silêncio do homem não significa que ele não a ama. Significa que ele quer um momento de sossego.

O homem, por sua vez, deve entender que a mulher precisa falar para desabafar e aliviar o estresse, sem preocupar-se em chegar a soluções.

Solução

Para resolver o problema do controle remoto, ela deve dizer ao homem, calmamente, que isso a perturba e pedir para ele por favor não o fazer quando ela estiver assistindo ao seu programa. E se não adiantar, ela deve considerar a hipótese de comprar o seu próprio aparelho de televisão e ir ver seu programa em outro cômodo.

Por que os homens não param o carro para pedir orientação?

Durante mais de 100.000 anos, os homens usaram o componente espacial de seu cérebro para rastrear a presa e atingir o alvo. Nesse período, eles aprenderam a arte de manter o senso de direção e reconhecer os caminhos para poder caçar a grandes distâncias sem perder o rumo de casa. Isso explica por que mais de um terço dos homens, quando entram pela primeira vez em uma sala sem janelas, consegue apontar o norte num raio de 90 graus, coisa de que somente uma em cada cinco mulheres é capaz. A explicação mais plausível para o senso de direção dos homens é a maior concentração de ferro no hemisfério direito do cérebro masculino, que lhes permite sentir o norte magnético. Esta é a mesma habilidade que o homem utiliza para encontrar o lugar onde estava sentado num estádio de futebol, para localizar o carro num grande estacionamento e para retornar a um lugar onde esteve uma única vez.

As fêmeas, defensoras dos ninhos e da prole, não se aventuravam sozinhas para além do horizonte, de modo que aprenderam a se guiar por meio de marcos – o senso de direção nunca foi uma necessidade nem parte de sua descrição de funções. Vendo uma árvore, um lago ou uma montanha, ela era capaz de se localizar e encontrar o caminho de casa. Esta é, portanto, a chave para o homem ensinar o caminho a uma mulher. Se ele disser "vá até a rua onde tem uma árvore enorme, depois siga em direção ao edifício cor-de-rosa ao lado do Banco Nacional, do outro lado da avenida", é provável que ela chegue ao seu destino. Mas se ele disser "pegue a terceira saída a oeste na Rodovia 23 e ande cinco quilômetros para o norte", ela pode desaparecer para sempre.

Os homens nunca se perdem –
só descobrem destinos alternativos.

Para o homem, reconhecer que está perdido significa que fracassou em sua aptidão número um – achar o caminho. Ele preferiria ir para o pelourinho do que admitir para uma mulher que está perdido. Se você é mulher, está sentada no banco do carona e acaba de passar pela mesma garagem pela terceira vez, é importante não criticá-lo nem dar conselhos, sobretudo se não tem a intenção de ficar a pé.

Solução

Compre um mapa ou um guia e deixe-o no carro. Uma estratégia emergencial rápida e segura é dizer-lhe que você precisa muito ir ao banheiro, o que o obrigará a parar, de preferência, num posto de gasolina. Enquanto você está no banheiro, ele tem tempo de pedir orientação, fingindo que está comprando alguma coisa. Ou talvez, dependendo da relação de confiança que já foi construída entre os dois, você pode dizer carinhosamente que está aflita para chegar ao destino e pedir-lhe para parar. Peça você a informação, mas se assegure que ele a ouça.

Por que são necessários quatro milhões de espermatozóides para encontrar e fertilizar um único óvulo? Porque nenhum deles gosta de perguntar qual é o caminho.

Por que os homens insistem em deixar levantado o assento do vaso sanitário?

Até o final do século dezenove, os banheiros eram cubículos nos fundos das casas, do lado de fora. Sempre que uma mulher ia ao banheiro, levava consigo outra mulher, por segurança. O homem, porém, tinha de ir sozinho e se defender em caso de necessidade. Homens nunca urinavam em banheiros, mas nas moitas ou apoiados em objetos, hábito que os modernos herdaram de seus antepassados. É por isso que a gente raramente vê um homem urinando em campo aberto, mas sempre encostado numa parede ou numa árvore. Quando a descarga foi inventada no final do século dezenove, o banheiro se mudou para dentro das casas e dos estabelecimentos públicos. Mas a prática de ir ao banheiro em grupo permanece entre as mulheres. Nunca se ouvirá um homem dizer: "Ei, Fred, eu vou ao banheiro... Você não quer vir comigo?"

Os homens, quando vão ao banheiro, nunca levam um grupo de apoio.

Hoje em dia, todos os banheiros públicos têm instalações separadas para homens e mulheres, com assentos para as mulheres e mictórios fixados às paredes para os homens. As mulheres sempre sentam, mas os homens só sentam em 10-20% dos casos. As residências modernas são projetadas e construídas para acomodar igualmente homens e mulheres, mas os homens ficam em desvantagem, pois os banheiros domésticos acomodam sobretudo as necessidades femininas. Em casa, o homem tem de levantar a tábua para não molhar o lugar onde a mulher vai sentar. Mas quando esquece de abaixá-la de volta, é severamente criticado, o que deixa muitos homens bastante irritados. Por que é que as mulheres nunca se dão ao trabalho de levantar o assento para o homem? Na Suécia há um artigo de lei obrigando o homem a urinar sentado em banheiros públicos, por ser politicamente correto.

Quando Deus terminou de criar o universo, viu que ainda faltavam duas coisas para serem divididas entre Adão e Eva. Uma, ele explicou, era um instrumento que permitiria ao seu possuidor urinar em pé. Adão ficou excitadíssimo e implorou a Deus que o deixasse para ele.

Eva sorriu, benevolente, e disse a Deus que, se Adão o queria tanto, podia ficar. Então Deus o entregou a Adão, que imediatamente foi urinar numa árvore e desenhar uma figura na areia. E Deus viu que isso era bom.

A seguir, Deus dirigiu-se a Eva. "Bem, eis aqui a outra coisa", disse, "eu acho que você pode ficar com ela."

"Obrigada", respondeu Eva. "Como se chama?" E Deus respondeu, sorrindo: "Orgasmos múltiplos."

Um de nossos leitores homens escreveu-nos para dizer como foi que ele e sua mulher enfrentaram o problema do assento do vaso sanitário:

"As mulheres precisam entender que o pênis tem seus próprios desígnios. O homem pode entrar numa cabine de banheiro (quando todos os mictórios estão ocupados), mirar perfeitamente no meio do vaso sanitário, e mesmo assim o pênis consegue urinar em cima do rolo de papel higiênico, na perna esquerda da calça ou em cima do sapato. Eu falo sério, não dá para confiar nele.

"Depois de 28 anos de casados, minha esposa agora resolveu me treinar. Não tenho mais permissão para urinar como homem – em pé. Ela exige que eu urine sentado. E me convenceu de que este é um pequeno preço a pagar. Se ela for ao banheiro à noite e sentar outra vez na tábua molhada, ou cair dentro do vaso porque eu deixei o assento levantado, ela me mata enquanto eu estiver dormindo."

Na verdade, o homem não dá a menor importância para o fato de o assento estar abaixado ou levantado, mas pode se chatear com a mulher se ela lhe exigir autoritariamente que o deixe abaixado, em vez de pedir educadamente – ou abaixá-lo ela mesma.

Solução

Pedir ao homem que urine sentado poderá acarretar alguns problemas. Se o homem se recusar, talvez possa ser lembrado, de maneira calma e firme, que no mundo islâmico milhões de homens se sentam para urinar todos os dias – o que absolutamente não lhes compromete a masculinidade. Diz-se que o Profeta urinou em pé uma única vez na vida, num jardim onde era impossível sentar. Se isso não for suficiente para convencê-lo, simplesmente estabeleça novas regras domésticas. Passa a ser tarefa dele lavar o banheiro, o que significa passar um pano no chão diariamente para limpar todas as gotas extraviadas. Quem sabe isso possa tornar a posição sentada mais atraente?

Se estiver ao seu alcance, a solução ideal é comprar uma casa com dois banheiros – um para ele, outro para ela – ou reformar a casa atual para criar um banheiro extra. Desta forma, cada um pode desfrutar o padrão de limpeza e higiene que lhe agrada, sem ter de se preocupar com o outro.

Por que os homens criam tanto problema para fazer compras?

A grande vantagem de ser homem é poder comprar dois ternos, três camisas, um cinto, três gravatas e dois pares de sapatos em menos de oito minutos. E isso é roupa para durar mais de cinco anos. Ele é capaz de comprar presentes de Natal para toda a família em quarenta minutos, às quatro da tarde do dia 24, e sozinho ainda por cima.

Para um homem, um par de sapatos, um terno e duas camisas duram anos, talvez décadas. E o melhor é que, por causa disso, a carteira dele dura muito mais.

Para a maioria dos homens, fazer compras é uma atividade situada no mesmo plano de fazer exame de próstata com um médico de mãos frias. O psicólogo britânico Dr. David Lewis descobriu que o estresse que o homem experimenta durante as compras de Natal equivale ao de um policial lidando com a multidão enfurecida num distúrbio. Para a maioria das mulheres, ao contrário, fazer compras é uma das formas preferidas de aliviar o estresse.

As razões disso são claras para quem já estudou a evolução diferenciada do cérebro masculino e feminino e compreendeu as suas respectivas programações. A vida primitiva do homem como caçador lhe deu uma espécie de "visão em túnel" que lhe permite mover-se diretamente do ponto A para o ponto B em linha reta. Os ziguezagues entre lojas e quiosques necessários ao que a mulher considera uma compra bem-sucedida deixam o homem extremamente ansioso, porque toda mudança de direção exige uma decisão consciente. A mulher, porém, com sua visão periférica mais ampla, ziguezagueia com a maior tranqüilidade em meio a um *shopping center* abarrotado de gente.

Os homens evoluíram como criaturas que matavam sua presa e voltavam para casa. Hoje, é exatamente assim que os homens gostam de fazer compras. As mulheres fazem compras da forma como suas ancestrais catavam alimentos: saindo o dia inteiro com outras mulheres para um lugar onde uma delas se lembrava de ter visto crescendo plantas saborosas. Não tem de haver um objetivo ou diretriz específica, e o limite de tempo não é importante. Elas passam o dia indo de lugar em lugar de uma forma não-estruturada, apalpando, cheirando, sentindo e provando todas as coisas que encontram, enquanto falam umas com as outras sobre um monte de assuntos sem nenhuma relação com o que estão fazendo. Mesmo não encontrando nada que valha a pena levar para casa, e voltando no fim do dia com pouca coisa para mostrar, elas se sentem satisfeitas por terem tido um grande dia. Para o homem, essa idéia é inconcebível. Sair um dia inteiro com um grupo de companheiros sem nenhum destino claro, sem rota, objetivo definido, nem limite de tempo, e ainda por cima voltar para casa de mãos vazias, significa que ele fracassou. É por isso que quando se pede a um homem para comprar leite, pão e ovos quando estiver voltando do trabalho pode acontecer de ele trazer sardinhas e maionese *light*. Ele esquece o que ela pediu e volta para casa com um par de "ofertas": o produto da sua "caçada".

A mulher se veste cuidadosamente de acordo com o tempo, a estação, a moda, a cor do cabelo, da pele e dos olhos, o lugar aonde está indo, a forma como se sente naquele dia, com quem está saindo e o que irão fazer. Para o homem, basta dar uma cheiradinha na roupa que deixou no encosto da cadeira.

Pesquisas provam que não só os homens não gostam de fazer compras, mas que estas prejudicam a saúde deles, devido ao estresse que provocam. Mas existem formas de ajudar o homem a ter um sentimento positivo a respeito.

Como fazer supermercado

Deixe o homem empurrar o carrinho. Os homens gostam de estar no controle e portanto de "guiá-los" usando sua aptidão espacial para curvas, manobras, velocidades e coisas assim. Pergunte ao homem a melhor forma de arrumar as compras no carrinho – isso faz com que ele use novamente as suas habilidades espaciais para achar a resposta. As mulheres, quando fazem compras, ziguezagueiam pelo supermercado carregando uma lista, mas os homens preferem ir em linha reta, comprar de memória e examinar todos os itens que lhe pareçam interessantes. Em conseqüência, eles sempre levam para casa os mesmos itens – o armário de cozinha de um homem solteiro tem dez pacotes de macarrão, nove latas de molho de tomate e pouquíssima coisa mais. Dê a ele objetivos claros – marcas, sabores e tamanhos – enquanto você ziguezagueia pelas gôndolas, desafie-o a achar os melhores preços e elogie-o quando ele obtiver resultados. Pergunte sempre o que ele gosta de comer e compre para ele seus alimentos favoritos. A esta altura a leitora talvez esteja se impacientando e dizendo: "Tudo isso por causa de umas comprinhas?!" Lembre-se: fazer compras não faz parte da programação do cérebro masculino, portanto, é necessário o incentivo.

Como comprar roupas

Os mesmos princípios motivacionais que valem no supermercado valem também nas lojas de roupas – dê ao homem tamanhos, cores, tecidos e faixas de preço e mande-o à caça. O cérebro masculino está estruturado para se concentrar numa única tarefa.

O que se pode dizer de um homem bem vestido?

Que a esposa escolhe bem as suas roupas.

Uma explicação para o modo como os homens fazem compras foi desenvolvida a partir de estudo com galinhas. Quando recebiam hormônios masculinos, as galinhas mudavam a forma de ciscar o alimento. Primeiro comiam todos os grãos vermelhos, até acabar, depois todos os amarelos. As outras comiam os grãos de todas as cores sem nenhuma ordem.

Solução

Dê ao homem uma única coisa para fazer de cada vez e não tente convencê-lo de que você está economizando um monte de dinheiro comprando uma quantidade maior. Nunca lhe pergunte "Você acha que eu fico melhor com o vestido azul ou com o dourado?". De um modo geral, o homem se sente ansioso porque sabe que nunca terá a resposta certa e vai, portanto, errar e deixar a mulher aborrecida. Por isso, poupe-o da pergunta. Se a mulher pede ao homem para comprar alguma coisa para ela ou para pegar um determinado artigo, tem de lhe dar o tamanho exato da roupa que deseja. Se ele pega um número maior, ela o acusa de insinuar que está gorda. Se pega um número menor, ela vai achar que está engordando. Quando está experimentando roupas, enquanto o homem espera do lado de fora do provador, na Cadeira-do-Marido-Entediado, a mulher deve providenciar uma revista para ele ler.

Eu sempre seguro a mão dela. Se eu soltar, ela compra.

ALLAN PEASE

Mesmo com essas estratégias, é importante que você se lembre: a concentração da maioria dos homens nas compras tem um alcance máximo de trinta minutos.

Por que os homens têm hábitos pessoais tão desagradáveis?

Em toda parte, as mulheres se queixam de que os homens têm muito mais hábitos pessoais inaceitáveis do que elas, mas as pesquisas não sustentam essa tese. Os homens são mais tolerantes em aceitar o que consideram maus hábitos femininos e prestam menos atenção nos detalhes do que as mulheres. É menos provável, conseqüentemente, que eles percebam um hábito feminino ofensivo.

A vantagem de ser homem é não ter de sair da sala para ajeitar as partes íntimas.

No alto da lista de hábitos masculinos que as mulheres não toleram estão: tirar meleca do nariz, arrotar, cheirar mal, vestir cueca velha e coçar o saco. Mas o número um, de longe, é o que se chama vulgarmente de soltar pum, coisa que tem um nome horrível: peidar.

Flatulência: *substantivo, feminino*: um subproduto constrangedor da digestão; *substantivo, masculino*: uma fonte inesgotável de diversão, auto-expressão e diversão masculina.

Embora seja um sinal de saúde e boa alimentação, soltar pum é um ato universalmente reprovado pelas mulheres. Entre os homens, soltar pum por diversão é uma prática que começa mais ou menos aos dez anos, idade em que o prestígio dos meninos se mede pela capacidade de soltar variados tipos de puns, seja imitando vozes ou lançando labaredas azuis pelo quarto com o auxílio do isqueiro. O arroto vem classificado em segundo lugar, um pouquinho atrás.

Flatulência: os fatos

Enquanto 96,3% dos homens reconhecem que soltam puns, apenas 2,1% das mulheres irão admitir o mesmo algum dia. Os homens soltam cerca de doze puns por dia e as mulheres, sete. Enquanto os homens emitem uma média de 1,5-2,5 litros de gás, suficiente para encher uma bexiga, as mulheres emitem 1-1,5 litro de gás por dia. As principais causas do excesso de gases é falar demais e falar durante a refeição. O ar fica preso no sistema digestivo e, embora a maior parte seja arrotada, o restante vai para o intestino grosso, onde se mistura com outros gases e fica preparado para estourar nas situações mais inusitadas.

Alimentos indesejáveis

Os alimentos que mais produzem gases são couve-flor, cebola, alho, repolho, brócolis, farinha, pão, feijão, cerveja, frutas e vegetais em geral. Conseqüentemente, os vegetarianos soltam muito mais puns, embora com muito menos cheiro.

Dentre os produtos que reduzem a quantidade de gases produzidos pelo organismo estão as pastilhas de carvão, os preparados "desgasificantes" e os produtos à base de hortelã e gengibre.

Solução

Um remédio óbvio é preparar refeições saudáveis com menor quantidade de gêneros produtores de gases e oferecer ao homem uma xícara de chá de hortelã depois da refeição, em vez de café. Combinações alimentares também dão bons resultados, como, por exemplo, nunca juntar carboidratos e proteínas na mesma refeição.

Nunca se deve deixar o homem comer alimentos produtores de gases menos de duas horas antes de deitar.

Além disso, incentive o homem a não beber água durante a refeição. Antes, não há problema, mas beber durante a refeição dilui os sucos digestivos, aumentando a probabilidade de soltar gases mais tarde. Procure dar o exemplo. Mastigue muito bem a comida, coma devagar e não veja TV durante a refeição. Mas se ele insistir em comer depressa e soltar pum a toda hora, talvez você precise de táticas mais eficientes. Veja o exemplo de uma de nossas leitoras.

Toda vez que saía com Sharon, Nigel soltava puns enormes em lugares públicos, como lojas de departamentos. Fazia isso com a cara mais lavada, de maneira que ninguém sabia quem tinha sido. Quando os circunstantes se viravam para o casal, Sharon era obviamente considerada culpada, porque ficava toda vermelha e com um ar envergonhado. Nigel achava tudo muito engraçado – até acontecer a grande briga. Em casa, ele soltava puns na cama e chamava isso de “teste do verdadeiro amor”.

Sharon decidiu estabelecer o quarto e a cozinha como “zonas de pum proibidas”. Quando estivessem num lugar público, pediu-lhe que a avisasse pelo menos dois minutos antes quando sentisse vontade de soltar um pum. Se ele não observasse essa norma, ela tiraria da bolsa um rolo de papel higiênico e diria para todo mundo ouvir: “Será que isso ajuda?”

Os mascotes também solucionam o problema. Ao ouvir o barulho ou sentir cheiro de pum, é sempre fácil se virar para o cachorro e brigar com ele aos gritos.

É importante que a mulher diga ao homem, com a maior objetividade e serenidade possíveis, o quanto esse hábito a incomoda. A mulher pode deixar claro que o pum no quarto de dormir – sobretudo na cama de casal – lhe tira toda a vontade de fazer sexo. Cuidando da alimentação com o objetivo de soltar menos gases, ele poderá, em troca, desfrutar de uma vida sexual bem mais prazerosa.

Por que os homens gostam de piadas grosseiras?

O humor tem para o homem três finalidades principais: primeiro, conquistar prestígio com outros homens por ter um bom repertório; segundo, ajudar a lidar com acontecimentos trágicos; terceiro, admitir a verdade sobre uma questão em pauta. O riso tem suas raízes em nosso passado remoto quando era usado para alertar outros seres humanos da existência de um perigo iminente, como acontece entre os macacos. O chimpanzé, quando consegue escapar de um leão, foge apressado para uma árvore, joga a cabeça para baixo e produz uma seqüência de sons muito parecidos com o riso humano. Isso adverte outros chimpanzés do perigo. O riso é uma extensão do choro, e o choro é uma reação de espanto e medo, evidente nas crianças desde o nascimento. Quando você assusta deliberadamente uma criança brincando de esconde-esconde, a primeira reação dela é chorar de medo. Quando a criança percebe que a situação não é ameaçadora, ela ri, o que significa que, se por um momento ela experimentou uma reação de medo, o riso sinaliza que ela sabe que era só brincadeira.

Exames de ressonância magnética mostram que os homens riem mais das coisas que estimulam o lado direito do cérebro e que com as mulheres se dá exatamente o contrário. A Universidade de Rochester, nos Estados Unidos, afirma ter descoberto de onde vem o senso de humor masculino – ele está localizado no lobo frontal do cérebro, acima do olho direito. Os homens adoram humor e piadas que tenham uma abordagem lógica, passo a passo, com alguma conclusão imprevisível. Eis aqui algumas piadas relativamente domésticas que estimulam o cérebro masculino:

1. Qual a diferença entre uma mulher na TPM e um terrorista?
   - Com o terrorista você consegue negociar.
2. Por que os homens dão nome ao próprio pênis?
   - Porque não querem que estranhos tomem suas principais decisões.

Uma grande diferença entre os sexos é a obsessão masculina com piadas sobre tragédias, acontecimentos terríveis e genitália masculina.

Os órgãos sexuais femininos são capazes de realizar assombrosas façanhas de reprodução humana, estão seguramente protegidos e, se fossem desenrolados, se estenderiam por quatro quilômetros. Mas as mulheres nunca fazem piadas com eles, não lhes dão nomes de estimação, nem os tratam como motivo de riso.

Os órgãos sexuais masculinos estão pendurados bem na frente, numa posição vulnerável e precária (prova adicional de que Deus é mulher) e são uma fonte permanente de diversão e graça para os homens. O humor feminino envolve pessoas, relacionamentos e homens. Por exemplo:

1. O que você pode dizer a um homem que acaba de fazer sexo?
   - O que você quiser – ele está dormindo.
2. Como se define o amante perfeito?
   - Faz amor até as duas da manhã, depois vira chocolate.
3. Por que os homens não simulam o orgasmo?
   - Porque homem nenhum faria uma cara daquelas de propósito.

O cérebro masculino tem uma espantosa capacidade de armazenar e lembrar piadas. Alguns homens são capazes de contar piadas que ouviram na quarta série, mas não sabem os nomes dos filhos de seus melhores amigos. Os homens acham muita graça em mostrar a bunda para grupos insuspeitos de mulheres mais velhas, freiras principalmente, em fazer campeonatos de pum e acorrentar noivos em postes de luz. Para a maioria das mulheres, nenhuma dessas coisas é nem remotamente engraçada.

As piadas são tão importantes como meio de comunicação entre os homens, que, sempre que acontece uma tragédia global, as redes de e-mails do mundo inteiro são literalmente inundadas de piadas enviadas por homens. Seja a morte da princesa Diana, o 11 de setembro ou a caçada a Osama bin Laden, o cérebro masculino entra imediatamente em ação.

Osama bin Laden tem 53 irmãos e irmãs, 13 esposas, 28 filhos e mais de 300 milhões de dólares. Mas ele diz que odeia os americanos por causa do estilo de vida excessivo que eles levam.

Aqui reside a diferença entre homens e mulheres no que se refere a lidar com problemas emocionais sérios. As mulheres lidam com calamidades e tragédias expressando abertamente suas emoções às outras pessoas, mas os homens as contêm. Eles contam piadas como forma de "falar" sobre o acontecimento, sem demonstrar qualquer abalo emocional que possa ser visto como fraqueza.

Como as piadas e o humor aliviam a dor

O riso e o choro instruem o cérebro a liberar endorfinas para a corrente sangüínea. Endorfina é uma substância cuja composição química é similar à da morfina e da heroína e tem um efeito tranqüilizante sobre o corpo, favorecendo ao mesmo tempo o sistema imunológico. Isso explica por que as pessoas felizes raramente ficam doentes e por que as pessoas infelizes, que vivem se queixando, parecem adoecer com mais freqüência.

O riso e o choro estão estreitamente ligados do ponto de vista psicológico e fisiológico. Pense na última vez que uma pessoa lhe contou uma piada que fez você desatar num riso incontrolável. Como foi que se sentiu depois? Aquela sensação de formigamento era proveniente da liberação de endorfinas para o sistema sangüíneo, uma espécie de "barato" natural. Muitas pessoas obtêm efeito semelhante ao do riso com drogas, álcool ou sexo. O álcool afrouxa as inibições e faz a pessoa rir, liberando endorfinas, o que explica por que em geral as pessoas bem ajustadas riem mais e por que as pessoas infelizes se tornam ainda mais infelizes, e até violentas, quando ingerem bebidas alcólicas.

No final de uma grande sessão de risadas, você geralmente chora. "Eu chorei de tanto rir!" As lágrimas contêm encefalina, outro tranqüilizante corporal natural que alivia a dor. Choramos quando temos uma experiência dolorosa, e as endorfinas e a encefalina ajudam a nos auto-anestesiarmos.

A base de muitas piadas é um acontecimento desastroso ou doloroso vivido por alguém. Mas sabendo que não se trata de um acontecimento *real*, rimos e liberamos endorfinas para nos auto-anestesiarmos. Se *fosse* um acontecimento real, começaríamos imediatamente a chorar e o corpo liberaria encefalina também. É por isso que o choro é muitas vezes a extensão de um acesso de riso. E é por isso também que, quando confrontadas com uma crise emocional séria, como a morte, em geral as pessoas choram; mas alguém que não consiga aceitá-la pode começar a rir. Quando a pessoa se dá conta da realidade, o riso se transforma em choro.

O riso anestesia o corpo, ativa o sistema imunológico, protege contra doenças, auxilia a memória, melhora o aprendizado e prolonga a vida. O humor cura. Em todas as partes do mundo, as pesquisas já demonstraram que os efeitos positivos do riso, liberando anestésicos produzidos pelo próprio corpo, reforçam o sistema imunológico. Depois do riso, o pulso estabiliza, a respiração se aprofunda, as artérias dilatam e os músculos relaxam.

O riso é uma forma predominantemente masculina de lidar com a dor emocional. Quanto mais difícil é para um homem falar sobre um acontecimento emocional, mais ele rirá se lhe contarem uma piada sobre o tema, por mais cruel e insensível que ela possa parecer às mulheres. Como os homens raramente falam de sua vida sexual com outros homens, eles contam piadas como forma de discuti-la. As mulheres, porém, são capazes de discutir detalhadamente as suas vidas sexuais com as amigas sem a ajuda de nenhuma piada.

Não se ofenda

Enquanto existirem irlandeses, haverá piadas sobre irlandeses. E sobre asiáticos, portugueses e feministas. E sempre que houver uma tragédia, ela invariavelmente irá gerar a sua própria coleção de piadas.

Ofender-se é uma escolha. As outras pessoas não podem ofender você – você *escolhe* se ofender. E optar por se ofender diz ao mundo que você é incapaz de lidar com o problema abordado pela piada. Somos autores australianos vivendo na Inglaterra, e os ingleses estão o tempo todo nos contando piadas sobre australianos. Apesar das piadas, nós escolhemos não nos ofendermos. Se é uma boa piada, nós rimos junto com os ingleses.

Você pode escolher se sentir *ofendido* porque alguém contou uma piada que diz que todo mundo em seu país é idiota. Isso não significa que eles *sejam* realmente idiotas, e agredir o contador da piada não os tornará mais inteligentes. Você pode escolher sentir *raiva* do engarrafamento de tráfego, mas sua raiva não vai fazer o tráfego fluir. Se você for capaz de assumir uma postura tranqüila, analítica, sobre o motivo de o tráfego estar parado, poderá talvez achar uma solução para o problema. De qualquer forma, deixará de ser vítima tanto do tráfego quanto da raiva.

Se um homem insistir em contar piadas impróprias no momento ou no lugar errado, diga-lhe de forma firme e suave que você não está gostando e que quer que ele pare. Se ele continuar, simplesmente vá fazer outra coisa.

Numa ocasião social, essa observação pode ser mais difícil, principalmente se você é a anfitriã. O homem a quem você pediu para parar de contar piadas impróprias pode se sentir publicamente humilhado e ficar desafiado a contar outras ainda mais ofensivas. Talvez seja melhor usar a seguinte tática: "Você é um ótimo contador de piadas. Será que conhece alguma mais leve?" Ou então pode habilmente desviar o assunto, usando os conhecimentos adquiridos neste livro para checar se todos estão de acordo com as diferenças entre homens e mulheres!

Comportamento aprendido – culpe a mãe dele

O cérebro feminino é programado para nutrir e criar principalmente os filhos. As mulheres vivem atrás das coisas que os filhos deixam pela casa, preparam seus pratos favoritos, passam suas roupas, lhes dão dinheiro e os protegem das agruras da vida. Como resultado, os meninos crescem com pouquíssimas aptidões e habilidades domésticas e com um baixo grau de entendimento de como se relacionar com uma mulher. Sentem-se atraídos por mulheres que, tal como a mãe, vão nutri-lo e servi-lo. No começo de um novo relacionamento, a maioria das mulheres assume este papel, mas quando percebe que ele pode se tornar permanente, as coisas azedam. É importante a mulher entender que, atuando como mãe o tempo todo, acabará reproduzindo a figura materna e o homem reagirá com gritos, acessos de raiva e fugas. E não há homem que ache a própria mãe sexualmente atraente.

Como reeducar o homem

O treinamento de qualquer pessoa – criança ou adulto – para fazer o que você quer que ela faça é sempre o mesmo. Você premia o comportamento que deseja e pune o que não quer. Como já sugerimos, se o homem largar as roupas ou a toalha molhada pelo chão, em vez de colocá-la no cesto de roupa suja, explique educadamente que você gostaria que a roupa fosse colocada no cesto para ser lavada. Se ele ignorar o seu pedido, não recolha a roupa nem a toalha. Como elas interferem no seu direito de viver em uma casa limpa, explique que você vai colocá-las num saco plástico dentro de um armário ou debaixo da cama. Quando ele precisar delas, saberá onde encontrar. A chave do problema é anunciar com antecedência as suas intenções e evitar ser sarcástica, sentenciosa ou agressiva, porque isso geralmente produz nos homens um efeito negativo. Quando ele precisar de cuecas, camisas ou toalhas lavadas, o problema será dele, não seu. Da mesma forma, se ele larga ferramentas ou projetos inacabados pela casa, diga-lhe que vai colocá-los num determinado armário. Não os coloque na oficina nem em nenhum lugar que seja conveniente para ele, porque isso só irá reforçar o comportamento que você não deseja. Se tem a intenção de reeducar seu homem, resista à tentação de guardar as coisas dele. E quando ele colocar as coisas no lugar certo, recompense sua contribuição com um sorriso, um carinho ou um "muito obrigada". Algumas mulheres ficam horrorizadas com a idéia de agradecer a um homem por ele fazer uma coisa tão simples como recolher as próprias roupas, mas é importante entender que os homens não evoluíram como protetores de ninhos e, portanto, o cuidado não é um comportamento "natural" para eles.

Se a mãe de um homem não o treinou para fazer essas coisas, caberá a você treiná-lo. Mas se continuar a recolher e guardar as coisas dele, terá de aceitar que escolheu o papel de substituta da mãe e terá que se conformar com este papel.

Quando você entender como funciona o cérebro masculino, vai descobrir que pode ser muito divertido ter um homem por perto. Os homens são sempre iguais – pode mudar a cor da pele, a cultura ou a religião, mas seus cérebros funcionam da mesma forma, quer tenham nascido em Trieste ou em Timbuktu.

O segredo é administrar os homens de sua vida, em vez de discutir, zangar-se ou frustrar-se com eles. Assim, os dois sexos serão capazes de viver felizes para sempre. E, quem sabe, da próxima vez que perguntarmos às mulheres as sete coisas que os homens fazem deixando-as loucas, talvez elas não consigam mencionar nem três. Talvez.

Capítulo 3

Por que as Mulheres Choram?

Os perigos da chantagem emocional

Pobre homem, encurralado entre três mulheres que choram, cada uma com sua queixa específica. A filha: "Se você gostasse de mim de verdade, me dava uma bicicleta nova! A mãe da Sally deu uma pra ela!!!" A mulher: "Você se esqueceu do nosso aniversário de casamento! Nossa relação caiu na rotina, você não me ama mais!" A velha mãe: "Não precisam se preocupar comigo... Estou velha, doente e logo, logo vou morrer."

Até aqui, lançamos um olhar sério e bem-humorado sobre as diferenças entre os sexos e o que é possível fazer a respeito. Agora vamos examinar como as emoções podem ser usadas para manipular as pessoas e fazê-las ceder. Todas as histórias são verdadeiras – apenas os nomes foram alterados para proteger os culpados.

Às vezes o choro vem como resposta direta do coração, mas há momentos em que as pessoas choram para manipular as emoções dos outros. Embora os homens façam isso ocasionalmente, as mulheres são mais propensas a usar as lágrimas como arma de chantagem emocional, mesmo que não tenham consciência disso. É um mecanismo de controle que pode ser deliberado ou inconsciente. O objetivo é forçar a outra pessoa – marido, amante, filho, pai ou amigo – a agir de uma forma diferente da que gostariam.

A mulher também chora para parecer arrependida e receber um castigo mais brando por uma ação errada. Este capítulo o ajudará a identificar as pessoas que usam essas táticas para manipulá-lo ou enganá-lo com o objetivo de obter o que querem.

Por que choramos?

Chorar: berrar, verter, derramar ou debulhar-se em lágrimas, uivar, lamuriar-se, soluçar, prantear, queixar-se, choramingar, ganir (o cão).

Chorar é um comportamento que temos em comum com os outros animais e que começa ao nascermos, mas os humanos são os únicos que choram de emoção. Para os humanos, as lágrimas servem a três propósitos: ajudar a limpar a superfície do olho; excretar substâncias químicas geradas pelo estresse; sinalizar aflição em situações emocionalmente carregadas.

A glândula lacrimal é a torneira, os canais lacrimais são o ralo.

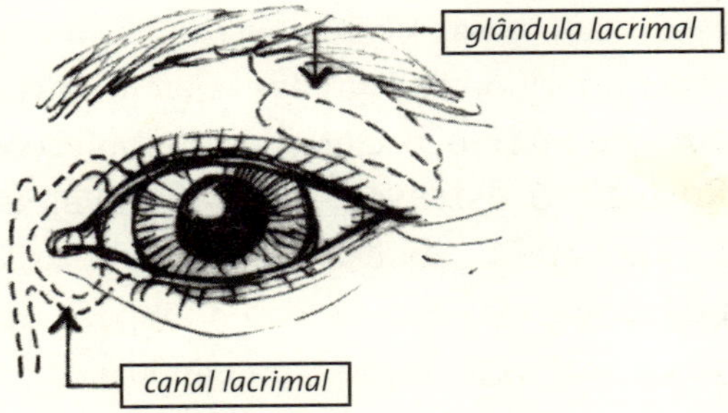

As lágrimas são segregadas por uma glândula localizada acima do olho e eliminadas por dois canais, no canto interno, que deságuam por sua vez na cavidade nasal. Em circunstâncias emocionais ou aflitivas, o excesso de lágrimas que não consegue ser drenado pelos canais lacrimais rola pela face.

Por que as mulheres choram mais que os homens?

Choramos desde que nascemos. O propósito primordial do choro, nos adultos, é estimular sentimentos de afeto e proteção.

Chorar é uma forma de a criança conseguir o que quer, comportamento perpetuado, entre adultos, por algumas mulheres. A maioria das mulheres consegue identificar sete diferentes significados no choro do bebê, através dos quais ela avalia suas necessidades. As glândulas lacrimais da mulher são mais ativas que as do homem, o que é coerente com as reações emocionais mais potentes do cérebro femino. Raramente se vê um homem chorar em público, porque, em todo o processo evolutivo, o homem que demonstra emoção, principalmente na presença de outros homens, se coloca em situação de risco. Ao transmitir fraqueza, ele encoraja outros homens a atacá-lo. Para a mulher, no entanto, exibir suas emoções, em especial para outras mulheres, é sinal de confiança: a que chora se torna o bebê, e a amiga desempenha o papel dos pais protetores.

Chorar tem três finalidades conhecidas:

1. **Lavar o olho:** A glândula lacrimal segrega líquido dentro do olho e os canais lacrimais agem como ralos para drená-lo para a cavidade nasal. Chorar serve para remover o sal e outras impurezas do olho. As lágrimas contêm uma enzima, chamada lisozima, que mata as bactérias e evita infecções no olho.

2. **Reduzir o estresse:** Análises químicas revelam que as lágrimas do estresse, aquelas que rolam pelas faces, contêm proteínas diferentes das que servem à limpeza do olho. O organismo parece usar essa função para eliminar as toxinas do estresse. Isso explicaria por que as mulheres dizem se sentir melhor depois de "uma boa chorada", mesmo quando parecem não ter nenhum motivo para fazê-lo. As lágrimas também contêm endorfinas, um dos anestésicos naturais do corpo que agem como amortecedor da dor emocional.

3. **Sinalizar emoções:** Focas e lontras do mar choram quando emocionalmente abaladas pela perda de seus filhotes. O ser humano é o único animal terrestre que chora de emoção e para manipular a emoção. As lágrimas atuam como um aceno emotivo para que os outros abracem e confortem aquele que chora, além

de incentivar a produção do hormônio oxitocina, que faz as pessoas desejarem ser tocadas e acariciadas por outras pessoas.

As focas e as lontras do mar não usam lágrimas como instrumento de manipulação. Os humanos, sim.

Os olhos brilham quando a pessoa sente uma emoção intensa, mas a quantidade de lágrimas não é suficiente para rolar pela face. É o que acontece quando a luz reflete as lágrimas dos pais orgulhosos e dos amantes apaixonados.

O choro e a chantagem emocional

Como funciona a chantagem

Agora que você já conhece as finalidades do choro, vamos examinar o mecanismo da manipulação. Vamos falar de chantagem criminosa, um processo conhecido por todos nós, em que alguém tenta extrair vantagem – em geral dinheiro – de outra pessoa mediante ameaças de revelar algo que trará prejuízo à vida da vítima.

Eis portanto os principais ingredientes e atores da chantagem criminosa:

- A vítima: alguém que tenha um sentimento de culpa ou de obrigação.
- O chantagista: a pessoa que conhece o ponto vulnerável da vítima.
- A exigência: o pagamento em troca de silêncio ou cooperação.
- A ameaça: exposição, punição e perda de alguma coisa de grande valor material ou afetivo.
- A resistência: a recusa inicial da vítima em cooperar.
- A concordância: a aceitação das exigências do chantagista.
- A continuidade: a inevitável continuação das exigências.

A chantagem emocional

A chantagem emocional acontece quando uma pessoa emocionalmente próxima ameaça você sutilmente com alguma punição ou insinua que você irá fazê-la sofrer se não concordar com o que ela quer. Essa pessoa conhece os seus mais íntimos segredos e vulnerabilidades e usa esse conhecimento para fazer você obedecer.

Estudo de caso: Rosemary

Greg, o marido de Rosemary, e a mãe dela não gostavam um do outro. A mãe achava que Greg não era bom o suficiente para sua filha e estava sempre tentando criar problemas para o casal.

Um dia, ela disse a Rosemary que uma de suas amigas tinha visto Greg com outra mulher num bar. "Provavelmente é uma colega de trabalho", sugeriu Rosemary. "Nós não somos donos um do outro."

Greg ficou furioso quando a mulher lhe contou essa história. Levou-a ao bar para apresentá-la à proprietária, com quem estava combinando uma festa-surpresa para o aniversário de Rosemary. A partir desse dia, a relação de Greg com a sogra azedou definitivamente.

Dois anos mais tarde, a mãe de Rosemary ficou seriamente enferma e a filha percebeu, com o coração pesado, que teria de convidar a mãe para morar com eles. Mas, como podia imaginar qual seria a reação de Greg, escolheu cuidadosamente o momento de apresentá-la.

Naquela noite, deu um trato especial na aparência e preparou o prato favorito de Greg. Quando ele chegou em casa, serviu-lhe um copo de vinho e perguntou como tinha sido o seu dia. Quando se sentaram à mesa, ela sabia que ele estava calmo e relaxado.

Depois da sobremesa, ela colocou a cabeça entre as mãos. Preocupado, Greg perguntou o que havia de errado. "Eu não sei como lhe dizer", ela respondeu. "Estou me sentindo péssima." Greg segurou as mãos da mulher. "Rosie, o que é? Alguma coisa que eu fiz?" Rosemary balançou a cabeça com um ar triste. "Não, Greg, você não fez nada. É que eu..." E desatou a chorar.

Greg abraçou-a e implorou que ela lhe dissesse qual era o problema. Entre lágrimas, ela balançou a cabeça. "Não, não, está tudo bem, Greg. Eu dou um jeito. Desculpe. Não se preocupe." "Mas Rosie", ele implorou, "me diz o que foi que aconteceu. Será que é alguma coisa tão ruim assim?" Entre lágrimas, Rosemary ergueu os olhos para ele, suplicante. "Não, Greg, eu tenho medo de você ficar zangado comigo, e não suporto isso", ela disse com voz suave e entrecortada. Greg estava começando a ficar aflito. "Me diz, por favor. Sinceramente, eu vou tentar entender." Greg começava a pensar no pior. Rosemary devia estar tendo um caso.

Rosemary estremeceu, passou a mão nos olhos e respirou fundo. "É a mamãe. Ela está muito doente e eu fico preocupada. Quero cuidar dela, mas sei o que você acha da idéia de ela morar conosco. Procurei todas as soluções possíveis, mas não encontrei, e essa situação está me matando – pensar na mamãe sozinha, sem ninguém para cuidar dela. Oh, Greg, eu não sei o que fazer... se fosse a sua mãe eu saberia, mas..." E recomeçou a soluçar.

De início, Greg recusou-se terminantemente a pensar na hipótese de trazer a sogra para morar com eles. Mas depois de dois dias de lágrimas de Rosemary, começou a se sentir culpado. Se ele realmente amava Rosemary, não devia estar preparado para fazer esse sacrifício por ela? Não é isso o verdadeiro amor? Casamento não é compromisso? E começou a se sentir egoísta e mesquinho – exatamente como Rosemary achava que ele ia ficar. No final, Greg concordou com um período de experiência de um mês. Tanto Rosemary quanto sua mãe sabiam que, assim que ela entrasse pela porta, seria praticamente impossível voltar atrás. E Greg sabia que toda vez que ele protestasse, haveria lágrimas e acusações, e ele acabaria se sentindo mal. O padrão estava estabelecido.

A história de Greg e Rosemary tem os ingredientes típicos da chantagem em que uma pessoa tenta manipular emocionalmente a outra para obter um ganho pessoal:

A vítima: Greg – sentiu fraqueza e sentimento de culpa quando sua mulher se mostrou emocionalmente angustiada.

A chantagista: Rosemary – percebeu a fraqueza de Greg.

A exigência: a mãe de Rosemary ir morar com eles.

A ameaça: a recusa implícita do amor caso Rosemary não conseguisse o que queria.

A resistência: a recusa inicial de Greg em cooperar.

A concordância: Greg cede às exigências de Rosemary.

A continuação: as inevitáveis discussões e as lágrimas constantes.

Todos conhecem pelo menos uma pessoa que já usou táticas de chantagem emocional para obrigá-los a fazer alguma coisa que eles inicialmente recusaram. Talvez uma situação parecida com a de Greg, talvez aquela pessoa que parece nunca dizer exatamente o que quer – elas sempre acabam manipulando para atingir seu objetivo final. É importante que você identifique as pessoas de suas relações que usam essas táticas de manipulação para conseguir o que querem. Em geral, as pessoas não acreditam que seus parentes e amigos usem esse tipo de estratégia de maneira consciente e premeditada. Mas as conseqüências da chantagem emocional são sempre destrutivas.

As pessoas que fazem chantagem emocional são, mais comumente, parentes e amigos.

Você acaba concordando com alguma coisa que não queria fazer. Para obter sua concordância, o chantagista faz você se sentir mal consigo mesmo e culpado por resistir. É inevitável que você fique ressentido por ser colocado nessa situação. Quer perceba ou não, o seu relacionamento com o chantagista nunca mais será o mesmo.

Os homens e a chantagem emocional

Os homens são, de longe, mais freqüentemente as vítimas do que os vilões da chantagem emocional. Eles preferem pedir diretamente o que querem. As mulheres, que evoluíram no papel de mantenedoras da paz, tendem a não dizer exatamente o que querem quando desejam alguma coisa. A muitas falta a auto-estima necessária para se considerarem merecedoras do objeto de seus desejos. Defensoras do ninho, elas têm uma necessidade incontornável de serem *amadas*. Sua função sempre foi a de nutrir os relacionamentos – com parceiros, filhos e outros grupos familiares e sociais –, e seus cérebros estão estruturados para fazê-los funcionar. Recorrem, pois, com freqüência, à chantagem emocional para conseguir o que querem, em vez de dizê-lo diretamente correndo o risco de ouvir uma recusa.

A chantagem parece ser o caminho mais fácil porque permite à pessoa evitar o confronto.

Os homens também fazem chantagem emocional, mas em muito menor escala. As funções cerebrais masculinas são muito mais simples no que se refere às emoções. Quando caçadores, os homens preferiam a abordagem direta, imediata. E seus cérebros continuaram a evoluir dessa forma.

Se um homem quisesse que sua mãe viesse morar com ele, compraria para sua parceira um ramo de flores antes de perguntar, e esse seria o máximo da sua manipulação. A tendência seria entrar direto no assunto e discuti-lo francamente, levando em conta os prós e os contras. Talvez propusesse construir um anexo na casa, contratar uma acompanhante para cuidar da mãe, passar fins de semana fora e assim por diante. Em geral, os homens exigem, ou pedem sutilmente, que todo mundo concorde com o que eles querem, e, normalmente, as mulheres consentem.

Os homens usam a abordagem direta e bem estruturada para conseguir o que querem. As mulheres preferem a chantagem emocional.

No decorrer da História, os homens sempre ocuparam posições mais poderosas e sempre puderam dominar mais abertamente do que as mulheres. Sem força suficiente para impor sua vontade, as mulheres tiveram de confiar, durante séculos, em seus estratagemas e sua astúcia para conseguir o que queriam.

Existem, no entanto, algumas situações em que os homens costumam recorrer à chantagem emocional. Os rapazes, por exemplo, a usam para convencer as namoradas a fazerem sexo com eles.

Estudo de caso: Damian

Damian saíra duas vezes com Erika. E nas duas vezes o encontro culminara num beijo longo e profundo, antes de ela se desvencilhar dos braços dele e sair correndo do carro para a casa dos pais. Damian estava ficando impaciente. Ele gostava de Erika e queria fazer sexo com ela, mas a moça resistia. Ele não conseguia entender por quê. Como Erika dizia que gostava dele, ele achava natural que ela quisesse fazer amor tanto quanto ele.

No terceiro encontro, depois do cinema e de um jantar muito mais caro do que Damian pretendia pagar, ele parou o carro num parque mal iluminado e desligou o motor. Virou-se para Erika e começou a beijá-la e a remexer na sua blusa. Ela o ajudou a desabotoá-la e começaram a se acariciar. Passados cinco minutos, ele tentou tirar a blusa de Erika, mas foi rejeitado. O mesmo aconteceu uma segunda vez. E uma terceira. Até que ele não se conteve e perguntou o que havia de errado.

"Erika, eu gosto de você de verdade. Quero fazer amor só com você. A gente se dá tão bem que eu quero lhe mostrar o quanto eu gosto de você." Mas Erika não parecia convencida. "Desculpe, Damian, eu também gosto muito de você. Mas é muito cedo. Eu não me sinto pronta. Nós só saímos três vezes. Quando chegar a hora, eu vou saber. Seja paciente comigo, por favor." Damian sussurrava em seu ouvido: "Vamos, coração, você sabe que quer. Eu gosto de você de verdade. Para mim, a hora é essa. Eu só quero te conhecer melhor. Eu nunca senti isso por outra pessoa."

Erika, entretanto, se afastou. "Não, Damian... desculpe... mas eu não quero. Eu *realmente* gosto de você também, mas não estou preparada."

Damian ficou cabisbaixo. "É que... eu pensava que você sentisse por mim o mesmo que eu sinto por você. Mas vejo que me enganei totalmente..." Parecia tão desconcertado, que Erika não pôde evitar um sentimento de pena. "Não, Damian, eu gosto *mesmo* de você. Eu só preciso de um pouco mais de tempo..."

Damian balançou a cabeça, triste. "Não, Erika, é claro que você não sente por mim o mesmo que eu sinto por você. Eu achava que as coisas estavam indo bem entre nós. Fui um completo idiota. Eu lamento. Vamos esquecer que isso aconteceu." E pegou a chave do carro para dar partida no motor. Erika estava cada vez mais transtornada. "Não, Damian, olha, eu acho você um cara muito legal e quero passar mais tempo com você."

"Mas Erika, eu gosto *muito* de você, e para um homem é natural querer expressar amor fisicamente. Mas se você não sente o mesmo, então é melhor a gente dar um tempo já enquanto eu não estou envolvido demais... Sinto muito, mas é assim que eu me sinto. Eu já me machuquei antes..."

Erika acabou fazendo sexo com Damian aquela noite. E o relacionamento deles durou mais duas semanas.

Aqui, Damian era o chantagista, Erika era a vítima e sexo, a exigência. Ele sabia exatamente quais eram os pontos fracos de Erika e os atingiu sem piedade. As mulheres odeiam ver os homens emocionalmente perturbados; isso desperta os seus instintos maternais e o desejo de ajudá-los a se livrar da dor. Acostumadas a ver os homens como criaturas fortes e infalíveis, as mulheres ficam profundamente abaladas quando vêem um homem desmoronar. Quando Damian acusou-a sutilmente de não gostar dele, apesar de ter deixado absolutamente claro que gostava dela. Erika começou a sentir que talvez a única forma de convencê-lo fosse concordar em fazer sexo.

E, por fim, Damian deixou implícita a ameaça de que estava pronto para terminar a relação se não conseguisse o que queria.

Se tivesse dito isso diretamente, ela não teria reagido como reagiu. Mas quando ele disse que não suportava a idéia de ser magoado outra vez, ela parou de resistir e se deixou chantagear para fazer algo que não queria. O que deixava o caminho livre para Damian querer sexo toda vez que a visse.

Um relacionamento que começa assim está condenado ao fracasso. Como esperar que duas pessoas construam um vínculo de respeito e confiança mútua sobre a base da manipulação? A chantagem emocional destrói se não for imediatamente combatida.

Táticas comuns de chantagem emocional

Os praticantes da chantagem emocional podem ser amantes, maridos ou esposas, filhos, sogras, pais ou amigos. Às vezes podem ser patrões. A chantagem emocional grassa nas famílias e é uma prática que se transmite de geração em geração.

Eis aqui algumas das ameaças ou punições típicas da chantagem emocional que talvez lhe soem familiares:

Pais: "Depois de tudo o que eu fiz por você." "Eu vou deserdá-lo." "Por que você está fazendo isso comigo? Você é sangue do meu sangue!"

Maridos/esposas: "Não posso acreditar que você seja tão egoísta!" "Você não me ama." "Se você me amasse, faria isso por mim."

Ex-parceiros: "Eu vou levar você à vara de família. Você nunca mais vai ver as crianças." "Eu vou deixar você sem um centavo." "Quando a gente transava, eu sempre detestava."

Amantes: "Todo mundo faz. O que há de errado com você?" "Isso é o que as pessoas que se amam devem fazer umas pelas outras." "É claro que você não me ama. É melhor a gente se separar."

Filhos: "Todos os outros pais fazem isso por seus filhos. Está na cara que eles gostam dos filhos deles mais do que você gosta de mim." "Vou embora – eu devo ter sido adotado." "Você gosta mais da minha irmã do que de mim."

Sogros: "Vou deixar tudo para uma instituição de caridade." "Se você não cuidar de mim, vou ficar doente e acabar num hospital." "Não se preocupe comigo – estou velha e vou morrer logo."

Amigos: "Se a necessidade fosse sua, eu teria feito isso por você." "Nunca pensei que eu fosse me decepcionar tanto." "Eu sempre fiz tudo por você. Mas olha como você me trata quando eu preciso."

Patrões: "Você só está tornando as coisas mais difíceis para os seus colegas de trabalho. Eles terão de arcar com as conseqüências." "Tenha certeza de que seu nome nunca mais estará numa lista de promoções." "Será que você não deve a mim e à empresa um pouco de lealdade?"

Empregados: "Se você me despedir, vai precisar de um bom advogado." "Tenho certeza de que a imprensa vai gostar de saber disso." "Você já ouviu falar em assédio sexual?"

O que o chantagista está dizendo é: "Se você não se comportar da maneira que eu quero, irá sofrer as conseqüências."

As crianças aprendem desde cedo que a chantagem emocional é uma forma de conseguir o que querem – particularmente quando vivem numa família em que os pais usam chantagem. Como as crianças se sentem relativamente impotentes por causa de sua idade e tamanho, a chantagem parece ser o meio mais fácil e eficaz de conseguir o que querem.

Estudo de caso: Julia

Quanto mais cresciam, menos os filhos de Julia se dispunham a ir visitar o tio John, que estava doente. Julia se sentia culpada por isso. Toda vez que visitava o tio, ele perguntava pelas crianças e ela se sentia na obrigação de mentir, dizendo que estavam numa excursão da escola, ou ocupados com suas tarefas de casa, ou em alguma atividade especial que os mantinha distantes.

"Olhem, ele está ficando velho e eu não sei por quanto tempo ainda vai viver", ela lhes dizia. "Ele está só e quer ver vocês. Vocês não se lembram de tudo o que ele fazia por vocês quando eram pequenos? Tomava conta e mimava vocês dois. Nunca teve dinheiro, mas gastava tudo o que tinha com vocês."

Mas, indiferentes aos argumentos da mãe, os filhos de Julia também a chantageavam. "Mas mãe, ele não escuta o que a gente diz, ele é completamente surdo", argumentava Bernard, de quinze anos. "E é muito chato lá na casa dele. Não tem nada para fazer. Eu nunca consigo sair com os meus amigos. Será que eu não mereço me divertir um pouco? Você não quer que eu fique triste, quer?"

Katie, de dezesseis anos, era também uma especialista em chantagem. "Ah, mãe," ela dizia, "você sabe que a gente tem um monte de dever de casa para fazer. Você quer que a gente seja reprovado? Eu gostaria de ir com você hoje, mas tenho esse enorme trabalho de geografia para fazer. A nota que eu tiver nele vai contar na média final. Se eu não me sair bem, minha situação pode ficar difícil. Além disso, você não devia estar fazendo chantagem emocional conosco. Não é justo. Nós não queremos ir. Fim de papo."

Os filhos podem ser mestres na arte da manipulação. Pais que rotineiramente tentam chantagear seus filhos têm de estar preparados para ver o feitiço se voltar contra o feiticeiro.

Nesse cenário, Julia se sentia impotente e tentava exercer uma pressão moral e emocional sobre os filhos. Em vez de argumentar calma e friamente com eles, ou simplesmente instruí-los para fazer o que achava certo, ela usava a chantagem emocional. Os filhos então faziam exatamente o mesmo, porque já tinham aprendido esse jogo.

Adultos que usam chantagem emocional criam filhos que são ainda melhores nessa prática.

Um dia estávamos assistindo a um artista de rua em Londres. No final de seu número, ele se virou para o grupo de crianças que o aplaudiam, enfeitiçadas, e gritou, "Ei, crianças! Se seus pais não lhes derem uma libra para colocar no meu chapéu, é porque não gostam de vocês!" Conseguiu dezoito libras.

Quanto mais a pessoa se permite fazer chantagem emocional,

mais esta se tornará um padrão no futuro de seus relacionamentos. Quanto mais próximo o relacionamento, maior o sentimento de culpa, e a culpa é a arma mais poderosa do chantagista.

Estudo de caso: Stephen

Stephen estava há cinco anos casado com Camila quando eles se separaram amigavelmente. Bem... Stephen pensou que fosse uma separação amigável. Camila, embora tivesse concordado com a separação na época, nunca acreditou realmente que ele iria se manter firme nessa posição. Ela simplesmente acreditava que, depois de uma ou duas semanas sozinho, ele imploraria para voltar para casa.

Stephen não voltou. Camila acreditava secretamente que ele nunca conseguiria acertar o passo e cedo ou tarde iria perceber o quanto a sua vida sem ela era vazia. Mas aí ele conheceu outra mulher.

Camila ficou louca de raiva. Começou a telefonar para a mãe dele, pedindo notícias. Ela sabia que a mãe dele gostava dela como de uma filha e que tinha ficado arrasada com a separação. Mas quando a mãe de Stephen começou a falar sobre a nova mulher dele, Camila se enfureceu. Começou a telefonar para Stephen nas horas mais inconvenientes, de dia e de noite, dizendo que tinha cometido um grande erro e que gostaria de se encontrar com ele para conversar.

Relutante, Stephen concordou em se encontrar. Camila estava bem-humorada, atraente e afetuosa – exatamente como quando eles se conheceram. Mas Stephen tinha mudado. Ainda gostava de Camila e sentia carinho por ela, mas não tinha mais nenhum vínculo emocional. Ele a ouviu falar sobre a falta que ele lhe fazia, mas disse que sentia muito, que tinha conhecido outra pessoa e que gostaria que Camila fosse feliz também.

Mas Camila não se conformou. Telefonava para ele implorando que viesse visitá-la, chorando e dizendo que sua vida tinha se acabado sem ele. Ele se sentia impotente diante das lágrimas dela. Tentava em vão confortá-la. Aí ela telefonou dizendo que ia se matar.

Stephen não sabia que rumo tomar. Por sorte, a sua nova namorada, Chrissie, viu o que estava acontecendo e se encarregou do problema. Convenceu a mãe de Stephen a procurar a família de Camila para lhes dizer que estava preocupada com o estado dela e pedir-lhes que lhe dessem atenção. Depois, incentivou Stephen a escrever uma carta para Camila dizendo-lhe com firmeza que sentia muito, mas tudo estava acabado. Não havia hipótese de ele voltar para ela.

Como a maioria das mulheres, Chrissie era capaz de perceber a chantagem emocional de Camila e sabia que Stephen era a vítima inocente. A ação rápida de Chrissie evitou que Stephen fosse capturado na armadilha de um relacionamento que ele não queria mais. Se Chrissie não se envolvesse, talvez ele voltasse para Camila, pois ficara extremamente assustado com a ameaça de suicídio, achando que seria responsável. Stephen simplesmente não tinha percebido que Camila estava usando deliberadamente a chantagem emocional para tê-lo de volta e não tinha nenhuma intenção real de se matar.

Stephen e Chrissie se casaram no ano seguinte. Camila continua visitando a mãe dele regularmente e conversando sobre os "bons tempos" de seu relacionamento com Stephen, mas ninguém lhe dá muita importância. Todos sentem muito por ela, mas gostariam que ela fosse em frente e construísse para si uma nova vida.

A culpa coloca a vítima sob uma grande pressão. Ninguém gosta de assumir uma posição cínica em relação a uma outra pessoa, mas é importante se manter firme naquilo que você quer. Stephen estava convicto desde o princípio de que não queria voltar para Camila, e devia ter deixado isso claro. Os homens não estão acostumados a lidar com suas próprias emoções e não fazem muita idéia de como lidar com mulheres emocionais.

Os homens gostam de argumentos e discussões diretas sobre qual é o melhor time, qual partido político tem a melhor política para governar o país, qual cerveja produz a ressaca menos braba.

Os homens lidam com fatos, dados e realidades concretas. Quando outras pessoas – geralmente mulheres – os confrontam com emoções, a maioria simplesmente não suporta. As mulheres sabem disso e usam em seu próprio benefício. Os homens também sabem ser tiranos emocionais para conseguir o que querem, mas essa tática funciona melhor quando suas mulheres são do tipo sensível e sossegado, acostumadas a se submeterem a homens dominadores.

Estudo de caso: Irene

Irene tinha uma índole maravilhosa. Era calma e generosa, se preocupava com as pessoas, nunca colocando suas necessidades acima das necessidades dos outros. Era uma pessoa feliz e leal, mas costumava submeter-se às exigências dos outros e deixava de afirmar seus desejos apenas para manter a paz. Bob, seu marido, era muito exigente e ciumento, e queria que as coisas fossem sempre feitas à sua maneira.

Um dia, Bob anunciou o desejo de comprar um barco novo, porque o velho já estava ultrapassado. Estivera pesquisando e disse que poderia comprar exatamente o barco que queria por um preço razoável.

Quando Irene soube do preço, quase desmaiou. "Nós não podemos comprá-lo agora. Acabamos de pagar as matrículas das crianças e você prometeu que eu poderia comprar um carro novo no fim do mês – o meu é uma lata-velha que vive quebrando."

Bob ficou danado. "Lá vem você de novo pensando só em você mesma", ele disse. "Eu, eu, eu, você só pensa em você. Será que nunca passa pela sua cabeça que eu também tenho minhas necessidades? Eu trabalho duro o mês inteiro para ganhar dinheiro para sustentar esta família. Estou o tempo todo estressado e minha pescaria aos sábados é a única oportunidade que tenho de relaxar."

Bob fez Irene passar um mau pedaço nos três dias seguintes. Esgotada, ela decidiu tentar um acordo: "Bob, eu estive pensando a respeito do barco, e quem sabe se eu comprasse um carro menor, usado, e você adiasse a compra do barco novo por um ano, a gente poderia ter os dois."

Bob não se comoveu: "Não. Daqui a um ano o barco estará mais caro e além disso é uma boa idéia comprar um barco *neste* verão. Assim passaremos mais tempo com os garotos, porque eles vão poder fazer esqui aquático. Temos que dar uma diversão para os garotos nos fins de semana, senão eles vão acabar tendo problemas."

Irene ficou louca. "Mas Bob, nós não podemos comprar o barco agora. Há tantas coisas que precisamos fazer em casa." Bob permaneceu insensível. "Eu não acredito no que estou ouvindo, Irene", disse, com a voz cada vez mais irada. "Será que você não pensa nas crianças? Não é você quem sempre se preocupa em saber onde eles estão e o que estão fazendo? Eu nunca imaginei que um dia você iria privá-los de passar os fins de semana conosco, todos juntos como uma família. Eles precisam desse barco também!" Depois de mais dois dias de tensão, Irene concluiu que não suportava mais aquela situação. Ela sabia que Bob podia arrastá-la indefinidamente e os garotos estavam cada vez mais angustiados com a tensão dentro de casa. Finalmente, Irene descobriu uma solução. Voltaria a trabalhar em horário integral e tudo ficaria bem.

Bob comprou o seu barco – e agora quer para ele um ancoradouro na marina. Ele sabe que conseguirá, porque vai usar a mesma tática outra vez. Irene foi vítima de chantagem, tanto quanto qualquer pessoa que recebe uma exigência de resgate ou uma ameaça direta. Os ingredientes essenciais da chantagem criminosa e emocional são exatamente os mesmos.

A vítima: O sentimento de obrigação para com a sua família, seu amor pelos filhos e seu desejo de manter um lar feliz eram os pontos vulneráveis de Irene.

O chantagista: Bob conhecia todos os segredos e sentimentos de Irene e sabia seus pontos fracos.

A exigência: que Irene concordasse com a compra de um barco novo.

A ameaça: a culpa de contribuir para a deterioração da saúde do marido; de permitir que as crianças caíssem em más companhias por causa do que o marido dizia ser egoísmo; o prolongamento da tensão dentro de casa.

A resistência: as tentativas de Irene de demonstrar que a exigência de Bob não era prática; a oferta de uma alternativa.

A submissão: Irene acabou cedendo.

A continuação: a recorrência da tática da chantagem por parte de Bob, no caso do ancoradouro na marina e em outras situações, porque sabia que iria funcionar.

A chantagem emocional destrói a auto-imagem da vítima. Se ela ceder ao chantagista, irá perdendo progressivamente a autoconfiança e será privada para sempre da capacidade de se afirmar. Será assolada pela insegurança, pelo medo e pela culpa, o que permite ao chantagista fazer novas exigências, cada vez mais abusivas.

Como lidar com um chantagista emocional

As pessoas que praticam chantagem emocional costumam parecer fortes e resolutas. Mas, embora dêem a impressão de saberem exatamente o que querem e de estarem preparadas para fazer o que for necessário para consegui-lo, isto raramente é verdade.

Chantagistas geralmente não passam de falsos valentões. Sua auto-imagem é deficiente e não suportam a rejeição. Por isso não conseguem argumentar com objetividade para discutir a situação e negociar suas opções, e têm um medo desesperado de perder o que já possuem. Geralmente acusam suas vítimas de serem egoístas, egocêntricas e sem sentimentos – todas as características deles. Sob muitos aspectos, eles se parecem com crianças malcriadas. Fazem a sua exigência e, se ela não é satisfeita imediatamente, têm um ataque de raiva. Toda vez que pai e mãe cedem a um ataque de raiva dos filhos, estão plantando as sementes de um chantagista emocional.

Nunca esqueça – chantagistas emocionais são como fanfarrões e crianças malcriadas e devem ser tratados como tal.

Se você acha que está sendo vítima de uma chantagem emocional, é importante pensar para decidir se vai concordar com a situação ou se vai fazer algo a respeito. *As pessoas sempre nos tratam da maneira que permitimos que elas nos tratem.* Se você é uma vítima, é porque o permitiu. Mas o comportamento do chantagista, que foi construído no correr do tempo, pode ser modificado com o tempo. Essa modificação de comportamento exige persistência, paciência e um firme propósito, isto é, você tem de preparar-se para uma batalha longa e difícil.

A primeira coisa a levar em conta é que o chantagista precisa de sua concordância para alguma coisa. Por conseguinte, na realidade é você quem tem o domínio da situação. Sem a sua concordância, o chantagista se sente impotente. A única forma de você perder esse poder é mostrando fraqueza. Não peça ao chantagista para diminuir sua exigência e, *de forma nenhuma*, aceite qualquer parcela de culpa pela situação. Não tente compreender como se sente o chantagista. Lembre-se: é *você* que está sendo vítima da chantagem e que o que importa é como *você* está se sentindo. Nunca tente contrachantagear.

Quando as exigências, ameaças e acusações de um chantagista começarem a jorrar, é essencial que você tenha um estoque de respostas prontas. Talvez elas não lhe ocorram naturalmente, portanto pratique-as até que elas se tornem parte de você.

O que você pode dizer a um chantagista

– "Bem, a escolha é sua."

– "Eu lamento que você prefira se sentir assim."

– "É óbvio que você está com raiva, mas vamos discutir a questão quando você se acalmar."

– "Estou vendo que você não está satisfeito, mas é assim que as coisas são."

– "Eu acho que preciso pensar bastante sobre o assunto. Falaremos sobre isso mais tarde."

– "Eu vejo as coisas de um modo diferente."

– "Você está obviamente decepcionado, mas nesse ponto não há negociação."

A recusa em demonstrar fraqueza ou negociar imediatamente quase sempre produz um período de silêncio ou mau humor no chantagista. Cuidado, pois é geralmente nesse momento que a vítima cede. A situação precisa ser resolvida – mas só quando o chantagista estiver pronto para discutir o problema de forma civilizada e racionalmente. Durante esse período de silêncio do chantagista, responda com silêncio, pois qualquer coisa que você disser só dará poder a ele. Apenas diga: "Quando você quiser conversar, estou disponível." E afaste-se.

Evite contrapor com ameaças, insultos ou atacar as vulnerabilidades do chantagista.

O chantagista se sentirá impotente e desesperado ante sua recusa, mas como você ainda precisa salvar as aparências, fale de suas boas qualidades, sabendo que o objetivo é apenas lhe dar um certo alívio. Chegando a um compromisso, estabeleça suas fronteiras e mantenha-se firme dentro delas. Se o chantagista procura fazer você se sentir desconfortável, não argumente, encerre a conversa civilizadamente e vá embora.

Não brigue nem discuta com o chantagista – treine-o.

Com uma estratégia desse tipo, você pode modificar o comportamento do chantagista. Chantagistas respeitam pessoas que não recuam.

Quando o chantagista também está no escuro

Às vezes o chantagista nem tem consciência do que está fazendo. A jornalista sul-africana Charlene Smith escreveu um livro magnífico sobre a noite em que foi estuprada em sua própria casa e como ajudou as autoridades a perseguir seus agressores. Naquela época, a África do Sul tinha a mais alta taxa de estupros do mundo: um a cada 26 segundos. O estupro era o maior tabu do país, e poucas pessoas, especialmente as vítimas, tinham coragem de falar sobre o que estava acontecendo.

Em seu livro, Charlene fala do terrível efeito que o episódio lhe causou, de como ela emergiu ainda mais fortalecida e de como se tornou uma referência para tantas outras mulheres que passaram pelo mesmo trauma. Mas uma das que a procuraram não obteve a sua solidariedade. Depois de ter sido estuprada, essa mulher abandonou a universidade, exigiu que o marido comprasse uma casa em outro lugar e deixou de cuidar dos três filhos e da casa. Os filhos cuidavam de si mesmos, a casa ficou largada e o marido, arrasado de frustração por se sentir incapaz de ajudá-la a se recuperar. Ao contactar Charlene, ela ficou atônita com a reação da escritora. Charlene disse cruamente que ela estava usando de chantagem emocional para fazer a família sofrer como ela havia sofrido. "O vício da autopiedade fez de Mary uma escrava de seus agressores", escreveu Charlene em *Proud of Me* (Orgulho de mim). "Ela estava reproduzindo o comportamento abusivo de seus agressores de uma outra forma. Os ataques deles eram óbvios, já os golpes que ela aplicava à sua família eram muito mais mortais, embora não visíveis a olho nu."

As vítima pode estar, inconscientemente, repassando as conseqüências da chantagem emocional a outros membros da família e aos amigos.

É muito provável que essa mulher não tivesse consciência de estar fazendo chantagem emocional com sua família. Era fácil para ela cair no papel do chantagista, sobretudo porque seu marido e filhos se sentiam incapazes de protestar e resistir. Estavam prisioneiros de um sentimento de culpa pelo estupro. E se o marido tivesse ficado em casa naquela noite? E se os filhos não tivessem saído? Talvez o estupro não tivesse acontecido. A culpa costuma ser a mais poderosa arma do arsenal do chantagista. Ela paralisa a vítima.

Nessas circunstâncias, é muito melhor para as vítimas do chantagista sair do âmbito doméstico e buscar ajuda. Pode-se solicitar o apoio de uma amiga de confiança da mulher ou chamar um bom conselheiro, psicólogo ou psicoterapeuta. Às vezes é necessário recorrer a alguém que esteja fora da esfera afetiva do chantagista, livre da carga emocional, para ajudar a quebrar o circulo vicioso de autopiedade e autodestruição.

Quando a chantagem emocional se transforma em prisão perpétua

Quando você se sujeita às primeiras ameaças emocionais do chantagista, dá início a um círculo vicioso que se torna cada vez mais difícil de deter. No limite, o chantagista pode arruinar a vítima emocional, psicológica e financeiramente.

Uma conhecida de nossa família foi atormentada pelo noivo para se associar a ele numa transação comercial. Ele lhe implorou que fosse sua fiadora num empréstimo para a compra de um carro para trabalhar, pois, como disse, não tinha crédito suficiente. De início, ela resistiu. "Mas por que não?", ele disse. "Estamos falando em passar o resto de nossas vidas juntos. Se você não confia em mim para fazer um simples empréstimo, talvez seja melhor terminarmos tudo de uma vez agora mesmo!"

A discussão se arrastou durante semanas. "Se você me amasse *de verdade*, faria essa coisa tão simples por mim", ele dizia. "Eu não estou pedindo só por mim. Estou pedindo por nós dois, pelo nosso futuro." Ele usou a frase "Depois de tudo que passamos juntos, isso é o mínimo que eu posso esperar" como arma definitiva para obrigá-la a aceitar. No final, cega de amor e com medo de perdê-lo, ela concordou em assinar seu nome na linha pontilhada. Mais tarde, quando descobriu que ele era um mentiroso incorrigível, um incompetente que não conseguia parar duas semanas no mesmo emprego, e que pedira dinheiro emprestado a Deus e a todo mundo, era tarde demais.

Por ceder ao chantagista, ela acabou afogada em dívidas, que ainda está pagando, prestação por prestação. Quanto ao noivo, foi embora há muito tempo. E o que é mais triste, agora ela desconfia de todo homem que se aproxima.

A ameaça de perder o amor faz de muitas mulheres presas fáceis de chantagistas.

Os pais também podem infligir cicatrizes duradouras em seus filhos. Quantos pais pressionam os filhos – fazem autênticas e muitas vezes sutis chantagens emocionais – para que eles sigam determinadas carreiras, sem nenhuma consideração pelo talento específico ou pelo desejo do filho. Cedendo à chantagem emocional, o filho se sentirá para sempre prisioneiro e ressentido com seus pais.

Com as filhas, a chantagem emocional tende a assumir formas diferentes. Todos já ouvimos falar de mulheres que, por senso de dever, renunciaram à felicidade para cuidar de pais idosos e debilitados, porém firmemente determinados a enchê-las de culpa sempre que elas pensavam em deixá-los para construir sua própria vida.

A chantagem emocional, onde quer que ocorra, é sempre perversa. Quem já esteve alguma vez no papel de vítima pode ficar prisioneiro o resto da vida e ver perdidas todas as chances de encontrar a felicidade, o amor e a alegria de viver uma vida sem culpa. Portanto, se ao ler essas histórias você se reconheceu no papel da vítima e chora por isso, saiba que tem toda a razão. Mas nunca é tarde para mudar a situação.

Capítulo 4

O Sistema Ultra-Secreto de Pontuação das Mulheres

Como estragar a semana de um homem

Para o resto do mundo, Mark e Kelly levavam uma vida perfeita. Mark tinha um excelente emprego, viviam numa casa adorável, seus três filhos eram felizes e bem ajustados, e todo ano passavam férias no exterior.

Entre quatro paredes, no entanto, seu relacionamento era problemático. Embora se amassem, estavam confusos, aflitos e desesperados com as brigas constantes. Kelly parecia sempre aborrecida e Mark ficava perplexo, sem entender o que acontecia.

O problema era que Mark, como a maioria dos homens, não fazia a menor idéia de que Kelly usava um sistema feminino especial de pontuação para classificar seu casamento.

Quando certa noite surgiu o tema da separação judicial, ambos concordaram em consultar um terapeuta de casais. Kelly estava feliz de ir a um terapeuta. Mark concordou, mas em seu íntimo achava que eles deviam resolver as coisas sozinhos. Eis o que eles disseram ao terapeuta:

Kelly: "Mark é viciado no trabalho. Esquece de mim e das crianças e nunca faz nada por nós. É como se não existíssemos. É trabalho, trabalho e trabalho, e nós ficamos no final da sua lista de prioridades. Estou cansada de ser mãe e pai de nossos filhos. Preciso de um homem que me queira, que cuide de mim e que participe da vida familiar sem que eu precise estar cobrando."

Mark (surpreso): "Eu não posso acreditar no que estou ouvindo, Kelly... O que você quer dizer com 'eu não cuido de você nem das crianças'? Veja a nossa maravilhosa casa, as roupas e jóias que você usa, a excelente escola das crianças... tudo isso eu proporciono a você e a elas! É verdade, eu trabalho duro, mas é para que a gente possa viver bem e ter tudo o que desejamos. Eu me ralo de trabalhar para a família a semana inteira e você nunca está satisfeita! Você continua reclamando..."

Kelly (zangada): "Você não consegue mesmo entender, não é Mark? E eu acho que nunca vai entender! Eu faço tudo para você. Lavo, passo, cozinho, organizo a sua vida social e tomo conta da nossa família... E tudo o que você faz é trabalhar. Quando foi a última vez que você esvaziou a máquina de lavar pratos para mim? Será que você sabe colocar a louça para lavar? Me diz quando foi a última vez que você me levou para jantar fora. Me diz quando foi a última vez que você disse que me amava..."

Mark (chocado): "Kelly... você sabe que eu te amo..."

A maioria dos homens absolutamente não se dá conta de que as mulheres mantêm um sistema de pontuação do desempenho geral de seu parceiro. Os homens, a maioria pelo menos, nem sabem da existência desse sistema e podem ser reprovados sem jamais chegar a compreender onde é que erraram. O número de pontos que o homem acumula com sua parceira afeta diretamente a qualidade da sua vida. As mulheres não têm consciência desse processo, mas o realizam inexoravelmente. Quando um homem e uma mulher decidem viver juntos, em geral não discutem os últimos detalhes da contribuição de cada um ao relacionamento. Ambos calculam que o outro vai continuar dando aquilo que já vem dando, que se comportará da mesma forma que seus pais, ou que se ajustará aos estereótipos de casamento que cada um conhece.

Os homens só enxergam o quadro geral

Os homens preferem ficar cuidando do "quadro geral" da vida em comum e dando um pequeno número de grandes contribuições do que se enredar com um conjunto de contribuições que parecem menores e menos importantes. Por exemplo, o homem pode não ter o costume de presentear sua parceira com freqüência, mas, quando o faz, dá logo algo grande. O cérebro feminino, por sua vez, está estruturado para a sintonia fina, razão pela qual as mulheres tomam uma enorme variedade de pequenas decisões sobre os intrincados aspectos de uma relação prática. Ainda que inconscientemente, a mulher atribui pontos a toda e qualquer coisa que o parceiro faça no relacionamento, não importa o tamanho.

Se o homem compra uma rosa para sua parceira, por exemplo, ela lhe dá um ponto. Se ele lhe dá um ramalhete de seis rosas, ela continua dando só um ponto. Mas se ele compra uma rosa toda semana durante seis semanas, aí ganha seis pontos. Uma única rosa é destinada claramente para ela, ao passo que uma dúzia de rosas pode ser interpretada como decoração para a casa. Presentear regularmente com uma única rosa mostra que ela está sempre em primeiro plano na mente dele.

Da mesma maneira, se o homem pinta a casa, ganha um ponto. Se recolhe sua roupa suja ou diz que ama a mulher, ganha também um ponto. Em outras palavras, os pontos são atribuídos pelo número de ações realizadas, não pelo tamanho, a qualidade ou o resultado de uma única ação. Se ele compra para ela um carro novo ou o anel de diamantes dos seus sonhos, certamente irá marcar pontos adicionais. Mas 95% de todos os pontos concedidos num relacionamento são para as coisas que acontecem ou deixam de acontecer todos os dias. É realmente assim que as mulheres sentem e pensam.

A mulher atribui um ponto por ação ou presente, independentemente do tamanho. Se o homem tivesse também um sistema de pontuação, atribuiria pontos conforme o tamanho da ação ou do presente.

Em geral, os homens não fazem a menor idéia de que as mulheres atribuem pontos no relacionamento. Eles simplesmente fazem o que fazem e nunca pensam em manter um sistema de pontuação. Essa diferença é a causa de muitos mal-entendidos entre homens e mulheres.

As mulheres guardam lembranças duradouras que acumulam pontos durante anos. Elas continuam fazendo coisas para o homem porque acreditam que, no final, o placar ficará empatado. E supõem, secretamente, que seus parceiros ficarão agradecidos e lhes retribuirão o apoio.

A mulher mantém o placar e nunca esquece.

O homem nem fica sabendo quando o placar do relacionamento está desempatado. A mulher pode deixá-lo chegar a 30 a 1 antes de começar a se queixar. Aí ela acusa o homem de não fazer nada, e ele fica surpreso e desconcertado com suas acusações. Ele não fazia a menor idéia da existência de algum problema porque, se também mantivesse um sistema, não deixaria chegar a esse ponto. Quando achasse que o placar estava 3 a 1, se queixaria de estar dando demais e exigiria que o placar ficasse empatado.

Se o homem mantivesse um placar, iria achar que quanto mais importante a ação ou maior o presente mais pontos deveriam ser atribuídos. Para ele, trabalhar cinco dias por semana vale pelo menos trinta pontos, mas, do ponto de vista dela, vale apenas cinco – um por cada dia de trabalho. Como a maioria das mulheres sabe, os homens sempre acharam que tamanho é documento.

Para a mulher o que importa não é o tamanho, é a freqüência.

Nossa experiência com Brian e Lorraine

Brian era um operador financeiro que trabalhava longas horas visitando clientes e construindo seu negócio. Sua esposa, Lorraine, tomava conta da casa e cuidava de seus dois filhos. Ambos se descreviam como um casal feliz, normal. Nós pedimos então que eles preenchessem diariamente, durante trinta dias, um cartão de pontuação das contribuições que acreditavam ter dado ao relacionamento e também que estimassem a pontuação que achavam que deviam receber do outro. Um ponto seria atribuído por cada pequena contribuição e um máximo de trinta pontos por uma contribuição importante para o relacionamento. Eles tinham também de registrar pontos perdidos por coisas irritantes que o parceiro fizesse. Durante esse período não podiam discutir entre si nem como nem quando os pontos eram atribuídos, ou quais as atividades que os haviam gerado.

Apresentamos abaixo um resumo parcial dos resultados obtidos depois de trinta dias. Você poderá observar que nenhum dos dois registrou muitos pontos negativos. Nós desconfiamos que isso se deva a duas razões: casais que vivem juntos desenvolvem a tendência de ignorar ou relevar os pontos negativos do outro, e quando estão fazendo um teste como esse tendem a apresentar bom comportamento.

Como Brian pontuou o mês

Atividade de Brian	*Ele*	*Ela*
Trabalhar 5 dias na semana	30	5
Dar carona para a sogra	5	1
Montar o aeromodelo das crianças	5	1
Fazer churrasco para os amigos	3	1
Investigar ruídos noturnos	2	2
Completar o óleo do carro	2	1
Tirar as folhas da sarjeta	3	1
Levar a família para comer pizza	2	1
Lavar o carro	2	1
Trabalhar até tarde uma noite	5	1
Controlar o PH da piscina	2	1
Levar os garotos ao estádio	3	2
Ler a revista *Which Computer*	1	0

Atividade de Brian	*Ele*	*Ela*
Tirar um rato morto do jardim	2	1
Comprar tinta para a garagem	2	1
Plantar uma árvore	2	1
Passear com a família no fim de semana	3	1
Colar a sola do sapato	3	1
Comprar flores/chocolate/vinho	10	4
Pendurar quadros na parede	2	1
Levar o lixo para fora	1	1
Consertar a maçaneta da porta	1	1
Dizer a ela que está linda	1	3
Cortar a grama	3	1
Consertar a bicicleta do filho	2	1
Reconfigurar as caixas de som	4	1

Coisas que Lorraine pontuou e que não estavam na lista de Brian

Ceder-me o casaco quando fazia frio	3
Deixar-me na porta da frente por causa da chuva	2
Abrir a porta do carro para mim	2
Aquecer o carro antes de eu entrar	2
Afiar a faca de trinchar	1
Colocar o telefone de mamãe no discador rápido	1
Abrir uma tampa apertada	1
Elogiar a minha comida	3

Coisas que Brian poderia ter feito para ganhar mais pontos

Recolher sua toalha molhada	1
Ajudar a tirar a mesa	1
Mandar as crianças para a cama cedo	2
Conversar comigo em vez de assistir TV ao chegar em casa	5
Ouvir-me em vez de me interromper com soluções	6

Telefonar avisando que vai chegar tarde	3
Organizar um fim de semana fora só para nós dois	10
Oferecer-se para limpar a cozinha	2
Desligar a TV para conversar comigo	2
Telefonar para dizer “eu te amo”	3
Fazer a cama	1
Barbear-se antes de fazer sexo	1
Fazer massagem nos meus pés	3
Beijar-me	1
Beijar-me sem bolinar	3
Não ficar pulando de canal com o controle remoto	2
Segurar minha mão em público	3
Fazer-me sentir mais importante do que as crianças	3
Fazer compras comigo	5
Mandar-me um cartão romântico	4
Dançar na cozinha	2
Tirar a louça da máquina de lavar	1
Mostrar interesse quando eu falo	3
Levar a roupa suja para a lavanderia	1
Dizer que sente a minha falta	3
Abaixar a tampa do vaso sanitário	1

Esta lista indica várias coisas: primeiro, por terem o cérebro espacialmente orientado, os homens atribuem mais pontos do que as mulheres para tarefas física e espacialmente relacionadas. Por exemplo, Brian se deu cinco pontos por ajudar o filho a montar um aeromodelo, o que para Lorraine valeu apenas um ponto. Para ele, esta foi uma tarefa difícil, que exigiu perícia, e ele ficou orgulhoso do que fez; para ela, foi apenas uma brincadeira. A mulher geralmente atribui ao homem um único ponto por cada tarefa doméstica executada. Ela tende a atribuir mais pontos pelas tarefas pequenas, pessoais e íntimas, do que pelas grandes tarefas. Por exemplo, quando Brian elogiou Lorraine por um jantar que ela preparou certa noite, ela lhe deu três pontos, mas ele nem se deu conta de que havia marcado algum. Na verdade, ele nem se lembrava de ter feito o elogio e nem chegou a colocar na sua lista. Não é que tenha esquecido; é que nunca lhe passou pela cabeça que elogiar a comida da mulher pudesse render pontos. Quando comprou flores, chocolates e champanhe para ela, pensou que ganharia pelo menos dez pontos – um terço de seu placar pessoal por trabalhar cinco dias na semana – por terem custado caro, mas ela só lhe deu quatro pontos. Brian ganhou pontos importantes por pequenas ações como "dar-me o casaco dele porque eu estava com frio", sem perceber que essa pequena ação lhe renderia pontos. Ele apenas pensou que estava "cuidando dela".

Por que não experimentamos trocar de posição esta noite?", ele perguntou. "Boa idéia!", disse ela. "Você vai para a pia e eu fico soltando puns no sofá."

Brian achava que quanto mais trabalhasse no escritório, mais pontos marcaria, mas trabalhar horas extras na realidade significava que ele tinha menos tempo para ficar em casa fazendo pequenas coisas, e portanto perdia pontos. Ele achava que estava ganhando dinheiro extra para uma vida melhor e que ela o admiraria por isso. Na verdade, ela achava que ele ligava mais para o trabalho do que para ela. Trabalhar até tarde valia cinco pontos por noite na opinião dele, mas Lorraine só lhe dava um. Se ele tivesse ligado para dizer que a amava e sentia falta dela, e telefonasse outra vez quando estivesse chegando, marcaria pelo menos três pontos. Como a maioria dos homens, Brian ignorava o fato de que as pequenas coisas significam muito para as mulheres, apesar de ter ouvido muitas vezes sua mãe e sua avó dizerem isso.

O placar mensal de Lorraine

A lista das atividades pessoais de Lorraine era quatro vezes mais longa que a de Brian. Ela descreveu detalhadamente todas suas atividades, atribuindo à maioria delas uma baixa pontuação. Aspirar o tapete, fazer compras, molhar as plantas, ir ao banco, cuidar dos cachorros, pagar contas, mandar cartões de aniversário, planejar eventos familiares, dar banho nas crianças, ler para elas e disciplina-las valeram um ponto cada. Atividades repetitivas como recolher a roupa suja e toalhas molhadas pelo chão, lavar a roupa, cozinhar e fazer as camas valeram todas um ponto por cada vez que ela as executava. Brian nunca vira a rotina de Lorraine, por estar o tempo todo no trabalho, de modo que lhe deu uma pontuação geral por seu esforço – trinta pontos, a mesma que deu para si por trabalhar cinqüenta horas por semana. Lorraine ganhou três pontos por massagear as costas de Brian uma noite, e vinte pontos pelas duas vezes em que tomou a iniciativa de fazer sexo.

Pontos perdidos

Os pontos perdidos são atribuídos sempre que um dos parceiros faz alguma coisa que frustra ou aborrece o outro.

Pontos que Lorraine descontou de Brian

Criticar-me na frente dos amigos	-6
Soltar pum durante o jantar	-10
Paquerar outras mulheres no shopping center	-5
Insistir em fazer sexo quando eu não estou a fim	-6

Pontos que Brian descontou de Lorraine

Falar comigo enquanto assisto TV	-2
Não querer fazer sexo	-6
Reclamar	-5
Falar sobre coisas demais ao mesmo tempo	-3

"Eu não sou rabugenta, mas preciso ficar o tempo todo lembrando, senão ele nunca faz o que tem de fazer."

As queixas de Brian diziam respeito a coisas que Lorraine fazia ou deixava de fazer para ele, enquanto as de Lorraine se referiam ao comportamento de Brian em público. Essas listas também mostram que, quando o homem quer fazer sexo e a mulher não, o ressentimento gerado é o mesmo nos dois lados.

No final da experiência, Brian tinha se atribuído uma pontuação média semanal de 62 pontos e dado a Lorraine uma pontuação média de 60 pontos. Ele se sentiu feliz com o fato de a pontuação do relacionamento estar bastante equilibrada. Lorraine se concedeu a média de 78 pontos, mas deu a Brian uma média semanal de apenas 48 pontos.

As reações de Brian e Lorraine

O placar semanal de 30 pontos a menos para Brian explicava um ressentimento que formigava dentro de Lorraine desde o ano anterior. Brian ficou arrasado com o resultado. Ele agia como se tudo estivesse perfeito no relacionamento e não fazia a menor idéia de como Lorraine se sentia, pela simples razão de ela nunca ter dito nada a respeito. Ele achava Lorraine um pouco distante desde o nascimento do último filho, um ano antes, mas achava que talvez fosse o estresse das muitas coisas que ela tinha para fazer. Por isso, para ganhar mais dinheiro e dar mais conforto à família, ele começou a trabalhar até mais tarde.

Para Brian e Lorraine, essa experiência foi uma chance de abrir os olhos. O que começou quase como uma diversão para saber como homens e mulheres atribuem pontos revelou uma situação potencialmente desastrosa. Lorraine ficava em casa se sentindo lesada e ressentida e Brian ficava trabalhando até mais tarde, achando que estava fazendo o que ela queria que ele fizesse.

A solução para a mulher

A mulher deve aceitar que o cérebro masculino está programado para cuidar do quadro geral e que o homem crê que marca mais pontos fazendo coisas grandes. Assim ela não ficará ressentida se o placar ficar desempatado a favor dele. Deve também incentivar o homem a ter pequenos gestos que a agradam, e recompensá-lo por isso.

Todos os homens são iguais. Só as caras é que são diferentes para a gente poder distinguir um do outro.

MARILYN MONROE

Os homens não estão programados para oferecer ajuda, apoio ou conselho, a não ser que alguém os peça expressamente. Do ponto de vista masculino, dar conselhos não solicitados equivale a dizer que a outra pessoa é incompetente. É assim que as coisas funcionam no mundo masculino – os homens esperam que você peça. Se não pede, eles acham que não há problema e que o relacionamento deve estar indo bem.

Os homens têm memória curta. Eles esquecem as coisas boas que fizeram por você na semana anterior, mas esquecem também as coisas positivas que você fez por eles. As mulheres sempre lembram.

A solução para os homens

A mulher não apenas conta os pontos, ela os acumula durante longos períodos e nunca esquece. Ela é capaz de se recusar a fazer sexo hoje porque você gritou com ela dois meses antes. Se a mulher achar que o placar está a favor do parceiro, é pouco provável que o diga. Se achar que está contra, se tornará distante e zangada e a vida amorosa do casal começará a murchar. Se isso acontecer, o homem tem de perguntar o que é que ela quer que ele faça. Lembre-se que a mulher atribui um ponto por cada atividade que o homem executa e uma pontuação maior pelas pequenas coisas que envolvem apoio emocional. Dar flores, elogiar-lhe a aparência, colocar as coisas no lugar, ajudar na cozinha e usar halitol conta tanto, às vezes mais, quanto trazer o salário para casa ou pintar a sala. Isso não quer dizer que o homem deva trabalhar menos. Mas se ele se conscientizar da importância que sua parceira atribui às pequenas coisas, e esforçar-se em fazê-las, sua qualidade de vida vai ter uma melhora extraordinária.

Faça o teste agora

A solução mais eficaz é manter uma comunicação permanente o mais sincera possível. Se a comunicação entre os parceiros tiver sempre a intenção de ajustar o relacionamento e garantir a harmonia mútua – em vez de ser uma pura troca de acusações –, se cada um se dispuser honestamente a ouvir as razões do outro, para conhecê-lo e entendê-lo melhor, a parceria está destinada a ser fonte de alegria e felicidade.

Oferecemos o teste como um instrumento para favorecer o diálogo. Junto com o seu parceiro, registre e pontue durante dez dias todas as contribuições ao relacionamento, da mesma forma como fizeram Brian e Lorraine. Depois de avaliar os resultados, você poderá usar o teste como um guia que lhe traga a felicidade que você deseja. Uma diferença de pontuação de menos de 15% mostra um relacionamento bastante equilibrado, em que nenhum dos dois se sente ressentido ou usado. Uma diferença de 15-30% mostra desentendimentos suficientes para causar tensão, e de mais de 30% significa que alguém se sente infeliz no relacionamento.

O parceiro com a pontuação negativa precisa equilibrar a sua contribuição, fazendo coisas que o(a) companheiro(a) aprecia para igualar o placar e reduzir a tensão.

Resumo

Trata-se de entender como o outro mede as coisas, para adequar-se àquilo que ele valoriza, e de mostrar as coisas que lhe dão mais prazer. O sistema de pontuação usado pelo sexo oposto não é melhor nem pior do que o seu, é apenas diferente. As mulheres entendem isso, mas a maioria dos homens o ignora.

Quando pedimos a Brian e Lorraine que participassem da experiência, Lorraine entendeu imediatamente o que nós queríamos. A resposta de Brian foi "Hein? Pontuação? O que é isso?". Como a maioria dos homens, ele nem sabia que as mulheres mantinham um placar.

Faça o teste da pontuação de tempos em tempos, para assegurar-se de que o placar está equilibrado. Quando há uma mudança de situação – um novo filho, a compra de uma casa, melhor ou pior situação financeira –, a pontuação pode variar e coisas irrelevantes em determinado contexto passam a adquirir outro valor. Sobretudo, use o teste para manter o diálogo indispensável a qualquer relacionamento que queira crescer feliz.

Capítulo 5

Esclarecendo os Sete Maiores Mistérios dos Homens

Depois do sucesso de *Por que os Homens Fazem Sexo e as Mulheres Fazem Amor?*, recebemos inúmeras cartas e e-mails de mulheres que nos pediam mais informações sobre as diferenças entre os sexos. Eis as sete perguntas mais freqüentes:

1. Por que os homens nunca sabem nada sobre a vida de seus amigos?
2. Por que os homens evitam assumir compromisso?
3. Por que os homens sentem necessidade de estar sempre com a razão?
4. Por que homens adultos se interessam tanto por "brinquedos de meninos"?
5. Por que os homens só conseguem fazer uma coisa de cada vez?
6. Por que os homens são tão fanáticos por esportes?
7. Sobre o que os homens conversam no banheiro?

O problema das mulheres é que elas tentam analisar o comportamento dos homens do ponto de vista feminino e ficam absolutamente desconcertadas. A verdade é que os homens não são ilógicos, como muitas vezes elas pensam. Eles apenas funcionam diferente das mulheres.

Por que os homens nunca sabem nada sobre a vida de seus amigos?

Julian não via Ralph há um ano, e aí resolveram passar o dia juntos jogando golfe. Quando Julian chegou em casa à noite, sua esposa Hannah estava ansiosa para saber como tinha sido:

Hannah: "E então, como foi o dia?"

Julian: "Foi bom."

Hannah: "Como está o Ralph?"

Julian: "Vai bem."

Hannah: "E como está a mulher dele depois de uma semana de hospital?"

Julian: "Não sei – ele não disse."

Hannah: "Ele não disse? Você quer dizer que não perguntou?"

Julian: "Bem, não, mas se houvesse algum problema, com certeza ele teria me dito."

Hannah: "Então... como vai a filha dele recém-casada?"

Julian: "Ora... ele não falou nada..."

Hannah: "A mãe dele ainda está fazendo quimioterapia?"

Julian: "Humm... não tenho certeza..."

E assim foi. Julian sabia quantas tacadas cada um tinha dado, se lembrava do problema no *bunker*, do *hole-in-one* que ele quase conseguira, mas não sabia praticamente nada sobre a esposa, os filhos e a família de Ralph. Estava a par da briga de Ralph com a câmara local por causa de seus projetos imobiliários, da última viagem que ele fizera ao estrangeiro para fechar um negócio, e sabia a marca e o ano do carro que Ralph estava pensando em comprar. Mas não sabia absolutamente nada sobre a filha mais moça que morava em Bangcoc, nem que o irmão de Ralph tivera um diagnóstico da doença de Parkinson, nem que a esposa fora eleita Cidadã do Ano pela comunidade local. Tinha, porém, um repertório novinho de ótimas piadas.

O homem sabe todas as piadas que o amigo lhe contou, mas não sabe que ele se separou da mulher.

Quando o homem sai para tomar uma bebida com os amigos depois do trabalho, a mulher invariavelmente se surpreende com o fato de ele voltar para casa sem saber nada sobre a vida pessoal de ninguém. Isto ocorre porque tomar uma bebida com os amigos é apenas uma outra forma de ficar olhando a fogueira. Os homens podem passar horas juntos, pescando, jogando golfe, jogando cartas ou assistindo futebol, sem falar grande coisa. Quando conversam, é sobre fatos – resultados, soluções ou respostas a perguntas – ou para trocar informações a respeito de coisas e processos. Raramente falam sobre pessoas e suas emoções. O cérebro masculino é inteiramente voltado para os "finalmente", e em geral não se liga em sentimentos e emoções.

Um estudo realizado pela Universidade de Leeds investigou os motivos pelos quais os homens vão para os bares depois do trabalho:

Por que os homens saem para tomar um drinque?

– Para beber álcool – 9,5%.

– Para encontrar mulheres – 5,5%.

– Para aliviar o estresse – 85%.

Os homens aliviam o estresse liberando o cérebro para pensar em outra coisa. Não há necessidade de conversar se não se tem vontade.

Quando um homem está com amigos e não conversa, isso não significa que eles brigaram; é porque ele está olhando a fogueira.

Os homens não esperam que os outros homens falem muito e nunca insistem em conversar. Quando um homem está olhando a fogueira com uma bebida na mão, os outros intuitivamente o compreendem e o deixam quieto. Ninguém diz: "Me conta como foi o seu dia... Quem foi que você encontrou... Como é que eles estavam?" Quando conversam, os homens falam sobre trabalho, esportes, carros e mulheres. Falam, um de cada vez, porque seus cérebros estão organizados para ou falar ou ouvir. Ao contrário das mulheres, eles não conseguem fazer as duas coisas ao mesmo tempo.

Solução

O homem não entende por que a mulher quer saber todos os detalhes da vida de seus amigos e conhecidos. Imaginam que se os amigos quisessem que ele soubesse de alguma coisa, diriam. Não se trata de falta de interesse pelos amigos, mas, como já dissemos, a única circunstância em que um homem conversa com outro sobre assuntos pessoais é quando tem um problema que não consegue resolver. Aí, como último recurso, ele pede conselho a um amigo.

Portanto, se você deseja informações sobre a saúde, a carreira, os relacionamentos ou o paradeiro de membros da família ou de pessoas de seu círculo social, não espere que os homens lhe dêem as respostas. Pergunte às mulheres.

Por que os homens evitam assumir compromisso?

Compromisso: *verbo, feminino*: Desejo de se casar e formar uma família; *verbo, masculino:* não paquerar outras mulheres quando se está na rua com a esposa ou namorada

Estudo de caso: Geoff e Sally

Jodie achava que Geoff e Sally fariam um belo casal e arranjou um encontro para eles se conhecerem.

Os dois tiveram uma ótima noite, trocaram telefones e combinaram se encontrar novamente. No dia seguinte, Sally telefonou para Jodie e agradeceu por tê-los apresentado, dizendo que tinha realmente gostado de Geoff e queria conhecê-lo melhor. Nessa noite, Geoff também telefonou para Jodie para dizer o mesmo que Sally.

Quando Geoff desligou, Jodie telefonou imediatamente para Sally e contou o que Geoff dissera: era o sinal para Sally de que iria se iniciar um relacionamento com Geoff. Na semana seguinte, portanto, ela o convidou para irem à praia e depois jantar. Geoff aceitou com alegria. Eles saíram nos três fins de semanas seguintes e foram ao cinema uma ou duas vezes a cada semana. Para Sally, o tempo passado juntos assinalava que eles agora tinham uma ligação. Apesar de nunca terem falado a respeito de um relacionamento exclusivo, ela não estava saindo com ninguém mais.

A história de Geoff

Um mês se passara, mas Geoff não fazia a menor idéia de que eles tinham uma ligação especial, porque isso nunca tinha sido falado. É assim que as coisas funcionam no cérebro masculino. Os homens não entendem o conceito de relacionamento da mesma forma que as mulheres.

Aí Geoff decidiu convidar Mary para a festa de aniversário de seu melhor amigo. Mary era a alma de qualquer reunião – uma pessoa realmente divertida – e fazia meses que ele não a via. Estavam se divertindo muito na festa quando Geoff viu Jodie. Aproximou-se e apresentou-a a Mary. Jodie pareceu um pouco fria, e Geoff percebeu que ela não gostou de Mary. Isso o deixou confuso, porque Mary era uma pessoa divertida, de quem todo mundo gostava. Mas deixou o assunto para lá.

A história de Jodie

Jodie ficou chocada por Geoff não ter convidado Sally para a festa e sim a uma "piranha faladeira" chamada Mary. Então Jodie achou que, em vez de Sally ficar sabendo pelas fofocas, ela devia contar imediatamente. Como era de se prever, Sally se desmanchou em lágrimas, porque achava que ela e Geoff estavam indo muito bem. Telefonou para Geoff e pediu que ele viesse vê-la naquela noite mesmo. Ele percebeu que havia algo errado, mas não fazia idéia do que pudesse ser.

Cartas na mesa

Geoff chegou ansioso para rever Sally, desejando que ela tivesse preparado o seu prato favorito. Mas quando Sally abriu a porta, viu que ela estivera chorando e que estava aborrecida com ele. "Como é que você pôde fazer isso comigo?", ela choramingava, "...e ainda por cima na frente dos nossos amigos! Há quanto tempo você está saindo com ela? Você gosta dela? Dorme com ela? Me responde!" Geoff não acreditou no que estava ouvindo. Ficou sem fala.

Passou as três horas seguintes tentando esclarecer o problema com Sally. Explicou que nunca se dera conta de que eles eram um casal exclusivo – achava que Sally saía com outros caras, não apenas com ele. Era a primeira vez que falavam sobre seus sentimentos, e ambos perceberam que estavam indo em direções completamente diferentes.

Sally queria um compromisso com Geoff. Mas Geoff não estava pronto para assumi-lo. Queria a sua liberdade. Então decidiram que continuariam amigos, mas não iriam mais para a cama... bem, isso foi o que Sally decidiu. Geoff achou que ela devia estar na TPM e que no fim de semana a crise já teria passado.

As mulheres muitas vezes se admiram de que os homens possam ter um compromisso quase religioso com um time de futebol, mas raramente se mostrem dispostos a investir a mesma quantidade de energia emocional num relacionamento com elas. O homem é capaz de esconder suas emoções e sentimentos da mulher que ama, mas ficar visivelmente emotivo e apaixonado quando seu time joga – e especialmente quando está perdendo. Como é que ele pode ser tão obstinadamente fiel e devotado a um bando de jogadores atarracados e não necessariamente brilhantes, que ele não conhece e que não estão nem aí para ele, e não demonstrar nem um décimo da mesma devoção para com ela?

Durante quase todo o tempo de existência da raça humana, os machos foram polígamos por razões de sobrevivência. Havia pouca oferta de homens porque muitos morriam nas caçadas e nas guerras. Era razoável, portanto, que os sobreviventes adotassem as viúvas em seus haréns, o que também aumentava a chance de poderem transmitir seus genes. Do ponto de vista da sobrevivência da espécie, fazia sentido que um macho tivesse dez ou vinte fêmeas, mas não fazia sentido que uma fêmea tivesse dez ou vinte machos, já que ela só podia parir um filho de cada vez. Somente 3% das espécies animais, raposas e gansos, por exemplo, são monógamos. O cérebro da maioria das espécies, inclusive a humana, não está programado para a monogamia. Este é o motivo pelo qual os homens protelam ao máximo assumir compromisso com a mulher e têm tanta dificuldade de manter um relacionamento monogâmico. Mas nós diferimos das outras espécies no sentido de que nossos cérebros evoluíram e desenvolveram grandes lobos frontais que nos permitem tomar decisões conscientes a respeito do que queremos e do que não queremos fazer. Portanto, não adianta que os homens infiéis afirmem que não podiam evitar. Eles tinham poder de escolha. Para a mulher, manter um compromisso, pelo menos até que sua prole seja auto-suficiente, é algo que está programado em sua psique.

Se você quer um homem fiel, procure num hospício.
MAE WEST

A mulher entende que se ela está "saindo" com um homem há algum tempo e nenhum dos dois se encontra com outras pessoas, é porque existe uma ligação especial. Mas para a maioria dos homens, como Geoff, este é um conceito estranho. Quando Sally se queixou "O que é que você estava pensando?", a resposta seria: ele não estava pensando absolutamente nada.

O que a maioria dos homens pensa

É um costume universal os homens brincarem entre amigos dizendo que o casamento ou o relacionamento permanente de um deles com uma mulher é um claro sinal de que a vida do infeliz acabou. "Depois que você se compromete, ela agarra você pelos colhões", eles riem. "Pode dizer adeus a 90% de sua vida sexual!" E tem também a advertência, em geral vinda dos solteiros: "Você vai ter de pedir permissão até para espirrar, porque agora é ela quem controla as algemas." Em geral, os homens evitam se comprometer porque acham que a mulher vai lhes roubar a liberdade e eles vão acabar fracos e impotentes.

Quando o homem diz que assumir compromisso significa perder a liberdade, é difícil saber de quais liberdades especificamente ele está falando. Pressionado a explicar, ele fala da liberdade de ir e vir como bem quiser, de não conversar quando não está a fim, de não ter de prestar contas de seus atos nem justificar seu comportamento, e de ter quantas mulheres quiser. Ao mesmo tempo, porém, ele deseja amor, atenção e muito sexo. Em resumo, ele quer tudo, não quer abrir mão de nada.

A única forma de viver a vida em completa liberdade é sozinho numa ilha deserta, onde não existem regras. Ter uma relação é como ter carteira de motorista. Se você quer dirigir, tem de aprender e respeitar as regras de trânsito – do contrário, será sempre um pedestre. Um relacionamento não é mais do que uma negociação com regras – se você quer amor, amizade, sexo e uma pessoa para cuidar de você, tem de dar algo em troca. O que as mulheres querem em troca é amor, dedicação e fidelidade. Elas não têm a menor intenção de roubar a liberdade do homem.

Solução

A idéia de estabelecer uma relação potencialmente permanente nunca passou pela cabeça de Geoff. Quando a mulher desconfia disso, ela precisa dizer claramente ao homem que, do ponto de vista dela, eles agora têm um relacionamento especial. Há várias formas de fazer isso. Se tiver dificuldade de falar diretamente, ela pode brincar, dizendo por exemplo que está feliz de preparar um jantar para ele, agora que estão namorando. Pode também dizer como é bom fazer sexo e acordar juntinho, agora que estão namorando. Ela tem de aprender a ser franca e direta, em vez de apenas aguardar timidamente que o homem perceba a situação. Do contrário, o mais provável é que a ficha dele não caia, como aconteceu com Geoff. Não se trata apenas de os homens não saberem ler a mente, é que a maioria deles não é muito sensível ao estado de espírito da mulher. Lembre-se, os homens evoluíram caçando animais e fazendo guerra aos inimigos, e não tentando entendê-los ou sendo sensíveis às suas necessidades afetivas.

Nunca suponha, portanto, que você está tendo um relacionamento especial antes de discuti-lo com a outra pessoa. Repetimos: homens não sabem ler mentes. A mulher deve perguntar o que o parceiro sente por ela e até onde ele quer que vá o relacionamento. O homem costuma ser direto e fará a mulher saber se deseja ou não um relacionamento especial e exclusivo. Para ele a franqueza é um sinal de respeito. E respeito é o que a mulher deve ter por si mesma, exercendo seu direito de esclarecer a situação dos dois e escolhendo o tipo de relacionamento que deseja estabelecer com seu parceiro. Caso não coincida com o dele, deve resolver o que é melhor para ela.

Por que os homens sentem necessidade de estar sempre com a razão?

Para entender esta característica do homem moderno, precisamos examinar a sua educação. Meninos têm de ser durões, não chorar e ser bons em tudo o que fazem. Seus modelos são: Super-Homem, Batman, Homem-Aranha, Zorro, James Bond, todos machos solitários que nunca se queixam de problemas, mas, ao contrário, estão sempre atrás de soluções. E, é claro, raramente deixam de cumprir sua tarefa. Alguns deles tinham um parceiro, em geral um homem menor e menos importante, muito raramente uma mulher e, quando esta aparecia, era mais uma assistente que trazia problemas do que outra coisa. Esses super-heróis parecem preferir como parceiros um cão ou um cavalo, porque os animais são fiéis, confiáveis, nunca respondem nem lhes dizem que estão errados. Como a maioria dos estereótipos masculinos dos livros e filmes, os heróis dos meninos raramente cometem um erro e nunca demonstram fraqueza nem emoção. Os quadrinhos ainda retratam o macho durão como um indivíduo enorme dotado de músculos e possuidor de uma voz áspera e profunda (muita testosterona). A heroína é, geralmente, uma Barbie com seios anatomicamente impossíveis.

Casei-me com o Sr. Com-a-Razão.
Só não sabia que o primeiro nome dele era Sempre.

Quando o menino atinge a idade adulta, está condicionado a achar que não ser capaz de fazer alguma coisa ou resolver um problema significa ser um fracasso como homem. É por isso que, quando uma mulher questiona o que homem está dizendo ou fazendo, ele reage defensivamente, como se ela o estivesse fragilizando ou denunciando sua incompetência. Como já vimos, é o que acontece quando a mulher quer perguntar o caminho, ou chama um técnico para consertar a torneira. Ele talvez não hesite em dar a ela um livro de receitas de presente de aniversário, mas, se a mulher lhe der de presente um livro de auto-ajuda, o mais provável é que ele fique ofendido. Vai imaginar que ela está tentando lhe dizer que ele não é tão bom assim. Ir a um seminário sobre relacionamentos, ou a um terapeuta, equivale a uma humilhante admissão de que ele está errado, e os homens geralmente ficam defensivos ou agressivos diante dessa mera sugestão. O homem acha difícil dizer "Sinto muito" ou "Desculpe", porque é admitir que errou.

Estudo de caso: Jackie e Dan

Jackie queria parar de trabalhar e ter um filho, mas Dan achava que eles não estavam financeiramente preparados. Este assunto se tornou uma fonte de grandes desentendimentos entre os dois, deixando o relacionamento sob enorme tensão. Um dia, Jackie anunciou a Dan que tinha feito contato com um consultor financeiro para ter uma avaliação precisa das suas finanças domésticas. Dan não pôde acreditar no que estava ouvindo: Jackie queria que outra pessoa resolvesse os problemas deles! Obviamente, Dan pensou, ela achava que ele não era capaz de fazer as suas próprias contas. As divergências cresceram – três meses depois, eles se separaram.

Ao procurar um consultor financeiro, Jackie queria ajudar Dan, diminuindo a pressão sobre ele. Esperava que ele ficasse contente de ela estar assumindo a responsabilidade de procurar alguém que pudesse colaborar com ele. Dan viu a coisa de um modo completamente diferente. Aos seus olhos, ela deixara claro que achava que ele estava equivocado a respeito das finanças domésticas e procurara um consultor para provar que ele era incompetente ou pouco confiável.

Você não confia em mim?

A frase mais comum dos homens cujas ações são contestadas pela mulher é: "Você não confia em mim?" Quando escutar essa frase, pode ter certeza de que insultou a masculinidade do homem, dando-lhe a impressão de que o considera incapaz. Se ele está furioso com o cachorro do vizinho latindo à noite, diz que vai lá reclamar e ela lhe pede para não fazer isso, com medo de haver briga, ele reage: "Você acha que eu não sou capaz de lidar com esse problema direito?" Se estão numa festa e ela o adverte, dizendo para não beber demais, ele protesta: "Você não confia em mim?" Em todas essas situações, a resposta dela é a mesma: "Eu só estava tentando ajudar!" Ela pensa estar mostrando amor e preocupação com ele, mas ele a vê tentando dizer que está errado e é incapaz de resolver as coisas sozinho.

O homem acha que ouvir conselho da mulher equivale a ouvir que está errado e que não merece a confiança dela.

Ele a acusa de estar o tempo todo tentando controlá-lo. E fica tão ofendido que ela começa a achar que talvez seja realmente do tipo controlador.

Solução

Já que o homem de um modo geral tem essas características, a mulher deve evitar dirigir-se a ele de uma forma que o faça sentir que errou. Em vez de dizer o que *ele* fez de errado, deve deixar claro o que *ela* está sentindo. Por exemplo, em vez de dizer "Você nunca sabe o caminho e nós chegamos sempre atrasados!", ela pode dizer "Você está indo bem, querido, mas a sinalização dessas ruas é muito confusa. *Eu* me sentiria melhor se a gente parasse para perguntar a uma pessoa daqui qual é a entrada certa". Em outras palavras, em vez de culpá-lo, a mulher assume o problema para si.

Quando o homem acerta, a mulher deve elogiá-lo. Quando ele chega ao destino, seria bom dizer: "Querido, você é o máximo para descobrir os caminhos!"

Por que homens adultos se interessam tanto por "brinquedos de meninos"?

Quando nosso amigo Gerry fez aniversário, nós lhe demos de presente um grampeador de papel movido a pilha, do tamanho de uma miniatura de televisão. Tinha uma caixa de plástico transparente que deixava ver todas as engrenagens e discos se movendo lá dentro. Parecia uma coisa saída de um ônibus espacial. Levava três pilhas que precisavam ser trocadas toda semana, mas tudo o que fazia era colocar grampos em folhas de papel – como qualquer outro grampeador. Mas Gerry ficou louco de alegria com o aparelhinho e nos disse que, às vezes, quando acorda de manhã e passa pelo grampeador em cima da mesa, não resiste em colocar quatro ou cinco grampos numa folha de papel, só para poder ver e ouvir o movimento das engrenagens. Quando os amigos o visitam, o grampeador passa de mão em mão, e todos riem de contentamento. Qualquer mulher que o visita não dá a mínima para o grampeador. Ficam todas admiradas de ver a excitação dos homens com um aparelhinho tão caro que só executa uma tarefa para lá de trivial. Mas trata-se do equivalente masculino da propensão que as mulheres têm para pagar preços exorbitantes por ursinhos de pelúcia importados, só porque "... era tão fofinho, que eu não pude resistir".

É fácil explicar por que os sexos reagem de maneira tão diversa a essas coisas. As imagens a seguir mostram as áreas do cérebro – as partes escuras – que são ativadas quando a pessoa usa suas aptidões espaciais. O setor espacial do cérebro é aquele usado para estimar velocidades, ângulos e distâncias – é o cérebro do caçador.

Devido a essa propensão espacial do cérebro masculino, homens e meninos são fanáticos por qualquer coisa que tenha botões, motores ou componentes móveis, que faça sons, tenha luzes piscantes e seja movido a pilha. Isso inclui todo tipo de videogame e programa de computador, aparelhos de GPS portáteis, lanchas a motor, carros com painéis complicados, rifles com mira telescópica noturna, armas nucleares, naves espaciais e qualquer coisa que tenha controle remoto. Se as máquinas de lavar viessem com controle remoto, é provável que os homens até se interessassem em lavar a roupa.

Projetos Faça-Você-Mesmo

Todo o ramo de produtos Faça-Você-Mesmo está voltado para a área espacial do cérebro masculino. Os homens adoram o desafio de montar modelos de embarcações à vela, trens elétricos, aeromodelos, instrumentos mecânicos, planilhas de computador, estantes e qualquer coisa que tenha um conjunto de instruções,

Áreas do cérebro usadas para jogar futebol, dirigir automóvel, dar marcha à ré e operar instrumentos mecânicos. Instituto de Psiquiatria de Londres, 2001.

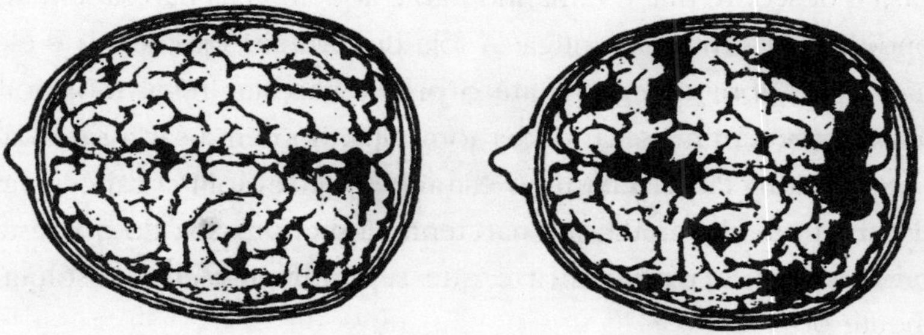

Mulher *Homem*

por mais indecifráveis que sejam. Meninos vão a lojas de meninos. Homens vão a agências de automóveis e lojas de equipamentos e produtos Faça-Você-Mesmo, onde podem encontrar coisas para fazer, construir ou ver funcionar, e assim satisfazer suas necessidades espaciais.

Em casa, as necessidades espaciais masculinas podem ser frustrantes para as mulheres porque, como a concentração do homem médio tem um alcance de nove minutos, eles deixam projetos inacabados espalhados pela casa inteira. Em geral, eles não acabam de consertar as coisas quebradas, mas ficam zangados quando você sugere chamar alguém para terminar o trabalho.

Chamar um bombeiro sem antes consultar o homem da casa pode ser interpretado como um grave insulto.

No sábado à tarde (depois do jogo), o homem que recusou a ajuda de um bombeiro para consertar o vaso defeituoso fecha o registro e desmonta o mecanismo. Descobre o que parece ser uma carrapeta gasta e vai até a loja de ferragens. Fica uns 45 minutos perambulando pela loja, examinando todos os brinquedos espaciais que poderia ter, testa uma ou duas lixadeiras mecânicas, experimenta uma furadeira de pressão e finalmente acha o que parece ser uma carrapeta do tamanho adequado. Aí vai para casa e descobre que o tamanho não é aquele, mas não sabe mais onde está a carrapeta antiga. A loja de ferragens já fechou e ele não pode abrir o registro até o problema estar resolvido; portanto, ninguém mais vai poder tomar banho nem usar a privada.

Se o carro faz um barulho estranho, ele levanta o capô e vai dar uma olhada, ainda que não tenha a menor idéia do que está procurando. Sua esperança é que seja um problema absolutamente óbvio.

A mulher nunca deve chamar um bombeiro, construtor, consultor financeiro, técnico em computação nem qualquer homem espacialmente qualificado antes de consultar o seu próprio homem. Em vez disso, ela deve lhe dizer o que considera necessário, pedir a sua opinião e dar-lhe um prazo. Dessa forma, se é ele quem acaba chamando um bombeiro, vai achar que resolveu o problema sozinho.

A única diferença que existe entre os homens e os meninos é o preço de seus brinquedos.

Hoje a maioria das novas empresas são fundadas por mulheres, mas 99% de todas as patentes – de "brinquedos de meninos" – são ainda registradas por homens. Há aqui uma lição: sempre dê ao homem de presente um brinquedo espacialmente relacionado. Nunca lhe dê flores nem cartões simpáticos, pois, na maioria dos casos, essas coisas significam muito menos para ele.

Por que os homens só conseguem fazer uma coisa de cada vez?

Em *Por que os Homens Fazem Sexo e as Mulheres Fazem Amor?*, apresentamos um profundo estudo sobre o motivo pelo qual o cérebro masculino é tão singularmente enfocado: aquilo que descrevemos como "trilha única". A resposta dos leitores a esse assunto foi tão avassaladora que vamos resumi-lo novamente aqui. A maioria das mulheres não entende por que os homens só parecem capazes de fazer uma coisa de cada vez. Se a mulher pode ler enquanto ouve ou fala, por que é que o homem não pode? Por que ele sempre desliga a televisão quando toca o telefone? Mulheres de todo o mundo se queixam em uníssono: "Por que ele não pode ouvir o que eu estou dizendo enquanto lê o jornal ou vê televisão?"

A razão é que o cérebro do homem é compartimentado e especializado. Em termos simples, é como se ele tivesse salinhas espalhadas pelo cérebro, cada uma com pelo menos uma função principal operando independente do resto. O cabo que conecta os hemisférios direito e esquerdo do seu cérebro, o *corpus callosum,* é, em média, 10% mais fino do que o da mulher e transporta cerca de 30% menos conexões entre os dois hemisférios. É isso que dá o enfoque "uma-coisa-de-cada-vez" a tudo o que ele faz na vida.

Este enfoque concentrado permite que os homens se tornem grandes especialistas. Noventa e seis por cento dos técnicos especialistas do mundo são homens – excelentes no desempenho daquela aptidão singular.

Entender essa mentalidade "uma-coisa-de-cada-vez" é uma das coisas mais importantes que uma mulher pode aprender a respeito dos homens. Ela explica por que os homens abaixam o rádio quando lêem um mapa ou quando dão marcha à ré no carro. Se ele está num trevo rodoviário e alguém lhe dirige a palavra, provavelmente errará a saída. Se está trabalhando com uma ferramenta afiada e o telefone toca, corre o risco de se ferir. Vendo as imagens do cérebro de um homem que lê, você irá descobrir que ele é praticamente surdo. Lembre-se: nunca fale com o homem quando ele está fazendo a barba, a menos que queira feri-lo! E não tente resolver nenhuma questão importante enquanto ele assiste à televisão, mesmo durante os comerciais.

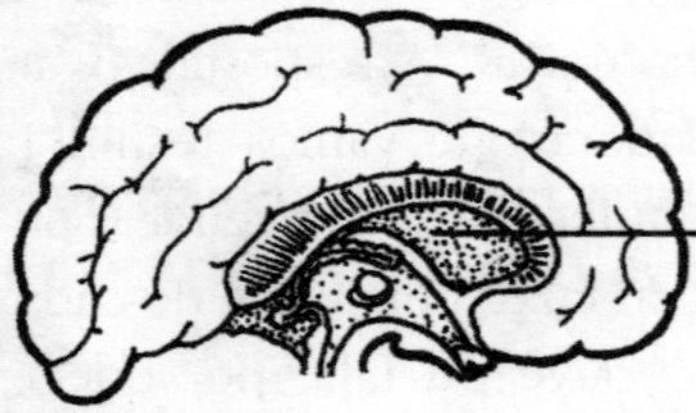

O homem tem duas vezes mais probabilidade do que a mulher de se envolver num acidente de carro enquanto fala num telefone celular.

O cérebro da mulher está configurado para o desempenho de múltiplas tarefas. Como já vimos, a maioria das mulheres pode fazer várias coisas não relacionadas entre si ao mesmo tempo. As imagens cerebrais revelam que o cérebro da mulher nunca desliga, está ativo mesmo enquanto ela dorme. Esta é a principal razão pela qual 96% dos assistentes pessoais do mundo são mulheres. É como se a mulher fosse, de alguma forma, geneticamente aparentada com o polvo. Ela é capaz de falar ao telefone, seguir uma receita nova e ver televisão ao mesmo tempo. Pode dirigir automóvel, maquiar-se e ouvir rádio enquanto fala num viva-voz. Mas se um homem está seguindo uma receita para preparar um prato e você quer conversar com ele, é melhor irem jantar fora.

A melhor estratégia, se você deseja um bom resultado livre de estresse, é sempre dar ao homem uma única coisa para fazer de cada vez. Nos negócios, discuta uma questão de cada vez e atenha-se a ela até que todos os homens presentes estejam satisfeitos com a solução, e só então passe à questão seguinte.

E o mais importante, nunca faça perguntas ao homem durante o sexo.

Por que os homens são tão fanáticos por esportes?

Durante milhares de anos, os homens caçaram em grupos enquanto as mulheres colhiam alimentos e cuidavam dos filhos. Os homens corriam, perseguiam, rastejavam e usavam suas habilidades espaciais para conseguir comida. Entre 1800 e 1900 foram inventados quase todos os modernos esportes com bola, o substitutivo moderno das atividades de caça. As meninas usam bonecas como prática do cuidado dos filhos e os meninos chutam e perseguem bolas como prática de caça. Quando adultas, as mulheres trocam as bonecas pelas crianças, mas os homens continuam chutando bolas. Na realidade, portanto, nada mudou muito nesses milhares e milhares de anos – os homens ainda caçam e as mulheres ainda cuidam dos filhos.

Como torcedor devotado de seu time de futebol, o homem pode voltar a ser membro de um bando de caçadores. Vendo seus heróis no campo, ele fantasia que está dando ele mesmo os chutes e marcando os gols. Os homens ficam tão emocionados quando assistem futebol porque sentem como se estivessem jogando a partida. Seu cérebro calcula as velocidades, os ângulos e as direções da bola, e eles urram de prazer sempre que o artilheiro faz o gol.

Os esportes permitem que o homem faça parte de um grupo de caçadores.

Eles insultam verbalmente o árbitro (embora o árbitro não possa ouvi-los) quando discordam de uma marcação: "Você acha que isso é falta?! Seu imbecil! Está precisando de óculos!!!" Podem memorizar os placares, lembrar com vívidos detalhes gols marcados em partidas disputadas há muitos anos e quase chegam às lágrimas quando discutem o que o jogador devia ter feito e o resultado que devia ter tido a partida. Depois que a Inglaterra venceu a Copa do Mundo de 1966 contra a Alemanha, não havia um único homem no país que não soubesse de cor a escalação do time, os gols que eles quase marcaram e os erros táticos que cometeram. Esta é uma habilidade formidável, mas eles continuam não sabendo os nomes de suas sobrinhas, sobrinhos, vizinhos de porta e nem a data em que se comemora o Dia das Mães.

Os homens podem ser tomados por intensa emoção quando assistem esporte, o que raramente ocorre em sua relação afetiva.

Dirigir automóvel é quase que inteiramente uma habilidade espacial. Velocidades, ângulos, manobras, mudanças de marcha e estacionamento em marcha à ré são o céu de todo homem. Eles são tão obsessivos com o volante, que podem passar horas a fio na frente da televisão assistindo a outros homens guiarem carros de corrida. Quando assistem a lutas de boxe, chegam a se dobrar e dar a impressão de sentir a dor do lutador atingido por um golpe baixo.

"Minha mulher me disse que, se eu não largasse a obsessão pelo meu time de futebol, ela me largaria. Vou sentir muita falta dela."

O mundo tornou-se agora um lugar confuso para os homens – suas aptidões cerebrais primordiais passaram a ser amplamente supérfluas e as mulheres os estão atacando por todos os lados. Os homens não têm mais nenhum modelo claro para seguir nem especificações claras do que se espera deles. O esporte é uma atividade em que o homem pode se sentir novamente membro de um grupo: ali ninguém o critica nem tenta modificá-lo, e ele se sente vitorioso quando seu time ganha, coisa que não acontece em seu trabalho. Isso explica por que os homens que trabalham em atividades repetitivas ou pouco qualificadas são os que dão mais importância aos esportes; inversamente, aqueles que consideram seu trabalho excitante e gratificante são os menos interessados. É também por isso que os homens preferem comprar um novo conjunto de tacos de golfe do que uma mesa de jantar há muito necessária.

Solução

Se o seu parceiro é maníaco por esportes ou por algum hobby, você tem duas opções. A primeira, envolver-se. Aprenda o que puder sobre o interesse dele e torne-se entendida também. Vá com ele a um evento e você ficará surpresa de ver a quantidade de outras "viúvas do esporte" que também o freqüentam e desfrutam os seus aspectos sociais. Se ainda assim você não achar interessante, mas quiser acompanhá-lo, é sempre possível que encontre outras mulheres na mesma situação e faça novas amigas.

A segunda opção é usar a obsessão dele por esportes como uma oportunidade positiva de estar com seus próprios amigos, com sua família, fazer compras ou começar o seu próprio hobby. Não lute contra o esporte ou o hobby do seu homem. Junte-se a ele ou use o tempo disponível para fazer algo de positivo para você mesma.

Sobre o que os homens conversam no banheiro?

Vamos responder primeiro à pergunta masculina universal: "O que as mulheres conversam quando vão juntas a um banheiro público?" A resposta é: sobre tudo e sobre todos. Elas comparam o lugar onde estão com outros onde já estiveram, discutem a roupa que elas e as outras estão vestindo, quem são os homens simpáticos e atraentes, de quem elas gostam e não gostam e qualquer problema pessoal que elas ou as amigas estejam vivendo. Enquanto se retocam, discutem técnicas de maquiagem e diferentes tipos de produtos, dividem cosméticos entre si e até com estranhas. Qualquer mulher que pareça aflita recebe terapia de grupo... e que Deus ajude o homem que a afligiu! Mulheres sentam no vaso e conversam com outras mulheres através da divisória, pedem a estranhas que passem papel higiênico por debaixo da porta, e não é incomum duas mulheres compartilharem o mesmo cubículo para poderem continuar a conversa. Uma boate de Birmingham, na Inglaterra, chegou a instalar cabines mais largas no banheiro feminino, com dois vasos sanitários em cada uma, para conversas mais importantes e profundas.

Banheiros femininos são uma rede de salas de espera e centros de aconselhamento onde você pode conhecer pessoas novas e interessantes.

Voltemos, agora, à pergunta inicial: sobre o que os homens conversam nos banheiros públicos? A resposta é: nada. Absolutamente nada. Eles não conversam. Mesmo entre grandes amigos, a conversa é mínima. Homens jamais conversam com estranhos em banheiros públicos. Nunca, jamais, em nenhuma circunstância. Não conversam com outros homens quando estão sentados no vaso, e quando urinam, seus olhares jamais se cruzam. Nunca. Nas cabines, os homens preferem paredes do chão até o teto para limitar a interação com os vizinhos, enquanto que as mulheres preferem vãos grandes para poder conversar e passar objetos de uma cabine para a outra. Raramente se escuta um pum num banheiro feminino, e, quando acontece, a culpada se esconde na cabine até a testemunha sair. No banheiro masculino ninguém se incomoda com isso.

Eis aqui uma carta de um dos nossos leitores homens que mostra a razão do silêncio que reina no banheiro dos homens:

"Durante uma viagem, parei num posto para ir ao banheiro. Como a primeira cabine estava ocupada, fui até a segunda. Mal havia me sentado quando ouvi uma voz que vinha da cabine ao lado dizendo: 'Ei, como vai?' Como todo homem, eu nunca converso com estranhos em banheiros masculinos de postos de estrada, e ainda não sei o que me deu quando resolvi responder com um constrangido 'Tudo bem!'

O outro cara disse: 'E aí... o que você está fazendo?'

Eu pensei: 'Que estranho...', mas, como um idiota, respondi: 'O mesmo que você... viajando para o norte!'

Aí eu ouvi o sujeito dizer, nervoso: 'Escuta... eu vou ter de te ligar mais tarde, porque tem um idiota na cabine ao lado respondendo as minhas perguntas!'"

Os homens também têm um ritual territorial para escolher o mictório. Se há uma fileira de cinco mictórios, o primeiro a entrar no banheiro escolhe o mais distante da porta, para ficar longe de quem chega. O que chega em seguida escolhe o que fica mais longe do primeiro homem, e o próximo escolhe o que fica a meio caminho entre os dois. O quarto homem geralmente acha melhor usar a cabine do que ficar em pé ao lado de um estranho que possa olhá-lo. Os homens urinam em silêncio, olhando para a frente, e nunca falam com estranhos. Nunca. O lema dos homens é: "Melhor a morte do que um contato visual."

Capítulo 6

A Outra Mulher

A mãe dele

Duas mulheres se apresentaram diante do rei Salomão arrastando um jovem que propusera casamento a suas duas filhas. Depois de ouvir as histórias delas, o rei decidiu que o jovem fosse cortado ao meio para que cada uma ficasse com a sua parte.

A primeira mulher concordou, mas a segunda disse: "Não! Não faça correr sangue! Deixe que ele se case com a filha dessa outra mulher." O sábio rei não hesitou: "O homem deve se casar com a filha da primeira mulher." "Mas ela queria vê-lo cortado em dois", advertiram os conselheiros do rei. "Sim", disse Salomão, "isso mostra que ela é a verdadeira sogra."

O dragão entra em cena

Provavelmente as sogras inspiram mais piadas do que qualquer outra categoria do planeta, e são sempre caracterizadas como bruxas, megeras ou simples intrometidas. Vale a pena lembrar que Lênin, um dos fundadores da Rússia moderna, quando perguntado qual devia ser a pena máxima por bigamia, respondeu: "Ficar com as duas sogras."

Qual a diferença entre uma sogra e um urubu?

O urubu espera você morrer para devorar o seu fígado.

Mas se por um lado a sogra é realmente um problema no casamento de muita gente, levando a culpa por mais de um terço das separações, não é geralmente a mãe da mulher a maior causa de problemas. Nossa pesquisa apurou, reiteradas vezes, que a mãe do homem é o verdadeiro perigo.

"Eu recebi hoje um e-mail avisando que minha sogra tinha morrido e perguntando se eu ia mandar enterrar, cremar ou embalsamar. Eu respondi: "Claro – providencie os três."

Sogras difíceis não são um problema para a maioria dos homens. A sogra de um homem pode reclamar dele, irritá-lo, até exasperá-lo, mas a maioria dos homens não chega a desgostar delas. Problemas com sogras não predominam na vida dos homens.

Um antigo provérbio polonês diz: "O caminho até o coração da sogra passa pela filha." A maioria dos homens sabe disso. O que a maioria das mães das esposas querem, mais do que qualquer coisa, é ver a filha feliz. E se o homem faz a mulher feliz, é pouco provável que a sogra cause problemas.

E quando o homem tem problemas com o sogro, a causa mais provável é a recusa do pai em abrir mão da sua preciosa "princesinha". Mas quase não existem piadas com sogros – eles não são motivo de riso.

A mãe dele – o fardo dela

Os verdadeiros dramas da maioria das famílias são causados pela mãe do homem, a sogra da esposa. Pesquisas realizadas pela Universidade de Utah mostram que em mais de 50% dos casamentos existem problemas reais entre a nora e a mãe do marido.

Embora nem todas as sogras façam por merecer essa fama, para muitas noras uma sogra intrometida, possessiva e invasora, que se recusa a cortar o cordão umbilical com seu filho, pode ser absolutamente nefasta. As crises que envolvem a sogra da mulher parecem muitas vezes impossíveis de administrar e insolúveis. Podem causar infelicidade, angústia e, em última instância, o divórcio.

Um homem conheceu uma mulher maravilhosa e dela ficou noivo. Providenciou um jantar, naquela mesma noite, para que sua mãe a conhecesse. Mas chegou acompanhado de três mulheres – uma loura, uma morena e uma ruiva. A mãe perguntou por que ele trouxera três, em vez de apenas uma. Ele disse que queria saber se ela era capaz de adivinhar qual das três mulheres era a sua futura nora. Depois de examinar cuidadosamente cada uma delas, a mãe respondeu: "É a ruiva." "Como foi que você adivinhou tão rápido?", ele perguntou. E ela respondeu: "Porque não fui com a cara dela."

Elas não são de todo más

É claro que nem todas as sogras merecem a fama de perversas. Uma pesquisa da Universidade do Estado de Utah, que mostra que cerca de 50% das sogras são vistas como criadoras de caso, mostra também que as outras 50% são vistas como prestativas, afetuosas, generosas e, na pior da hipóteses, neutras. As sogras são muitas vezes responsabilizadas pelos defeitos e problemas emocionais de seus filhos e noras.

Estudo de caso: Anita e Tom

Eles estavam casados havia apenas seis meses quando começaram a aparecer rachaduras na sua felicidade. Anita achava que estava se tornando impossível viver com Tom. Ele deixava suas roupas espalhadas e jogava as toalhas no chão. Transformava todos os cômodos da casa em chiqueiros. Isso levou Anita ao ponto de ruptura.

Anita: "Tom, você é um porco, eu não consigo mais viver com você!"

Tom: "Não, Anita, o problema é você. Você é tão meticulosa que está me deixando maluco! Na minha casa nunca foi assim.

Minha mãe nunca se queixou de mim nem de nada do que eu fazia!"

Anita: "Então está bem, vamos falar da sua mãe. Depois de viver seis meses com você, eu custo a crer que ela o educou; ela mimou você, isso sim. Você acha que a mulher tem de lavar, cozinhar, passar, limpar e trabalhar o tempo todo. Na verdade, você não tem nenhum respeito pelas mulheres. Sua mãe criou um monstro e eu não vou mais tolerar isso."

Tom: "O que é que a minha mãe tem a ver com isso? Por que você mudou de assunto? Por que não pára de culpar todo mundo, exceto você mesma?"

Muitas mães estragam desde muito cedo o futuro casamento dos filhos. Além de lavar, passar e cozinhar para eles, elas os protegem, acreditando que assim estão lhes demonstrando seu amor, quando na verdade estão lhes criando um sério problema no relacionamento futuro com suas esposas.

Trata-se de um problema realmente complicado para a parceira. Mas, em vez de criticar e culpar a mãe dele, o mais eficaz nesse caso é treiná-lo para fazer o que ela quer que ele faça. Trata-se agora de um adulto que deve ser responsável por seus atos.

A complexidade da situação reside no fato de haver três pessoas envolvidas nesse relacionamento. Todas as três podem ser pessoas emocionalmente equilibradas, independentes, desprendidas e atenciosas, ou, no outro extremo, uma, duas ou mesmo as três podem ser pessoas ciumentas, possessivas, dependentes, imaturas, egoístas ou emocionalmente instáveis.

Por que ser sogra às vezes é difícil?

É importante estar consciente de que as sogras ocupam uma posição difícil, porque as noras geralmente mantêm laços estreitos com suas próprias mães e conversam com elas regularmente, sobre cada pequeno detalhe. A mãe quer estar envolvida na vida dos filhos. É normal que uma moça busque o apoio da própria mãe, e não da sogra. Isso pode gerar ciúmes na mãe do seu parceiro. A sogra está sempre muito ligada ao filho, sobretudo quando ele é único e a vida dela é monótona. Será que ele está comendo direito? Será que a casa dele é bem cuidada? Etc., etc. Mas os filhos raramente conversam com suas mães sobre o que quer que seja. Recebendo pouca informação, a sogra começa a se sentir excluída da nova família do filho e pode achar que a única maneira de participar é forçando passagem e fazendo-se presente. A moça quase sempre se empenha durante o namoro para construir uma boa relação com a mãe do rapaz, porque tê-la como aliada é uma boa estratégia. Quando o casamento torna a situação mais permanente, é como se fossem duas mulheres disputando um único homem.

Mas para todo problema existe uma solução. Basta ter vontade de resolvê-lo. O filho e a nora devem enfrentar a situação de uma forma madura e aberta.

Estudo de caso: Mark e Julie

Mark e Julie decidiram se casar. Devido a um desentendimento, Julie e sua mãe Sarah estavam sem se falar há três anos. Por isso, Julie se apoiou muito em Fran, mãe de Mark, para ajudá-la a escolher o vestido de noiva, o menu da festa de casamento e todos os arranjos de praxe – tudo aquilo que teria feito com sua própria mãe se as coisas fossem diferentes.

Pouco antes do casamento, porém, Julie localizou sua mãe com a ajuda de Mark e elas retomaram o relacionamento. De repente, Fran não era mais necessária e foi colocada de lado. Ela se sentiu usada e ofendida.

A sogra é muitas vezes posta de lado depois do casamento, a menos que tenha desenvolvido um firme relacionamento com a nora. Como tem a própria mãe por perto, a nora costuma esquecer que a mãe de seu marido é tão importante para a unidade familiar quanto a sua própria. A vida atual é cada vez mais sobrecarregada, com menos tempo para o contato humano. Nos negócios, por exemplo, e mesmo na vida diária, usamos o correio eletrônico para suprir a necessidade de comunicação. Mas a geração passada só conhece o telefone e os encontros pessoais para comunicar-se. Talvez seja difícil para a nova geração lidar com seus pais, mas os dois lados precisam se entender e buscar soluções que garantam a felicidade de todos. Os pais necessitam de atenção e os filhos precisam de tempo para a sua própria família. Quando os membros da família moram em bairros distantes, cidades ou países diferentes, é necessário algum esforço para manter a união na vida familiar.

Estudo de caso: Bernadette, Richard e Diana

Bernadette tinha pouco mais de quarenta anos quando o marido a abandonou. "Já foi tarde!", ela disse às amigas. Ele bebia demais e não ligava a mínima para a família. Mas ela ainda tinha o filho, Richard. Ele era um bom rapaz, de 22 anos, e cuidaria dela.

Bernadette achava que Richard não se interessava por garotas. Ela o criara com todo o cuidado, conforto e apoio emocional, por isso – ela pensava – ia ser difícil encontrar uma mulher igual. As desmioladas com quem às vezes ele saía eram, evidentemente, só para sexo. Para Bernadette, Richard sabia que assim como ela o criara, alimentara e amara desde o nascimento, agora era a vez dele tomar conta dela.

O ponto de vista de Diana

Adão e Eva foram o casal mais feliz e afortunado do mundo, porque nenhum dos dois tinha sogra.

Diana gostou de Richard assim que o conheceu. Mas achava estranho que o namorado não a levasse à casa dele. Só a apresentou à sua mãe depois do anúncio do noivado. Bernadette não foi particularmente receptiva, mas Diana achou simplesmente que ela precisava de tempo para se adaptar. Costumava rir quando a futura sogra comentava que eles talvez ainda não estivessem prontos para o casamento e que podiam mudar de idéia a qualquer momento.

Quando a cerimônia aconteceu, Bernadette chegou a ser inconveniente, dizendo a todo mundo que achava que aquilo não ia durar.

Pouco tempo depois, Diana se deu conta de que havia herdado uma sogra infernal. Os problemas começaram logo que ela e Richard voltaram da lua-de-mel. Bernadette aparecia quase todos os dias, de modo completamente imprevisto.

Diana tentou ser amistosa, mas acabou se cansando de ouvir Bernadette lhe dizer como preparar o prato favorito de Richard, como ele gostava da arrumação da casa, além de colocar defeito em quase tudo o que ela fazia. Logo Bernadette começou a insultar Diana abertamente quando Richard não estava por perto, e quando a nora se queixava com o marido, Bernadette negava, acusando-a de tentar criar problemas entre ela e o filho. Diana começou então a evitar a sogra, mas Bernadette telefonava toda noite para ficar conversando longamente com Richard. Ela perguntava quando é que ele viria "em casa" para pintá-la, para cuidar do jardim, para consertar a torneira, para falar de algum problema ou para levá-la às compras. Suas exigências pareciam não ter fim. Richard estava agora inteiramente ao seu dispor, sem a menor consideração pelas necessidades de Diana.

Quantas sogras são necessárias para trocar uma lâmpada?
Uma. Ela fica segurando à espera de que
o mundo gire ao seu redor.

Dois anos depois, nasceu Travis, o primeiro filho de Diana. Logo Bernadette estava de volta fisicamente à vida da nora, todos os dias, ajudando com o bebê. Bernadette tomou conta da situação, criticando Diana constantemente. Tornou-se obsessiva com

Travis, colocando-o no colo o tempo todo em que estavam juntos. Diana começou a se sentir excluída. Bernadette estava lhe tirando o próprio filho, e Diana se sentia prisioneira e infeliz.

Mais de uma vez Diana tentou discutir o problema com Richard, mas ele dizia que Diana estava sendo possessiva, egoísta, ciumenta e imatura, e que sua mãe só estava tentando ajudar. No final, Diana cansou de discutir e se fechou numa raiva surda.

O ponto de vista de Richard

Richard perdera o pai com o divórcio, mas as coisas ficaram definitivamente mais tranqüilas em casa. A mãe sempre lhe dizia que seu pai não prestava para nada e que agora ele era o homem da casa. Enchia-o de cuidados e afetos, preparava os seus pratos favoritos, fazia a sua cama, recolhia e lavava as suas roupas e nunca o criticava, pois achava simplesmente maravilhoso tudo o que ele fazia.

Depois que Richard e Diana se casaram, Bernadette estava sempre por perto, ajudando em alguma coisa, mas Diana parecia tão enciumada do relacionamento do marido com a mãe que esta deixou de aparecer. Em vez disso, ele é que ia vê-la nos fins de semana e a ajudava com a casa. Mas havia um problema: toda noite sua mãe lhe telefonava para alguma conversa interminável, justo na hora em que ele começava a relaxar. Era uma certa carga, mas ele achava que a mãe devia estar se sentindo só e que ele tinha uma responsabilidade para com ela.

Quando Travis nasceu, Bernadette foi a primeira a se oferecer para ajudar, lavando as roupas e cuidando do bebê. Criar um filho era uma novidade para Diana, e assim Richard achava que os conselhos de sua mãe seriam fundamentais. Mas Diana não parecia nem um pouco propensa a pedir conselhos. Tornou-se possessiva em relação a Travis, vivia discutindo com Bernadette e se queixando dela com Richard. Ele amava a mulher, mas ela o estava deixando louco com suas explosões. Com seu cérebro masculino programado para a resolução de problemas, Richard achava que não era justo ele trabalhar duro o dia inteiro e ainda ter de resolver disputas entre sua mulher e sua mãe quando chegava em casa. E começou a pensar que sua vida seria menos complicada se voltasse a ser solteiro.

Solução

Sogra e nora precisam construir um laço para que suas vidas funcionem. As mulheres faziam isso naturalmente, para sobreviver nas cavernas, e precisam continuar fazendo, no mundo moderno, para ter uma vida livre de estresse. Sogra e nora precisam ajustar seu relacionamento sem envolver o filho e o marido. O homem talvez sinta prazer em ter duas mulheres disputando sua posse, pois isso alimenta seu ego. A esposa precisa ter sabedoria suficiente para assumir o controle da situação e assegurar que os problemas sejam tratados entre ela e a sogra, exclusivamente. Quando isso dá certo, todos saem ganhando. A última coisa de que uma mulher precisa é de uma sogra que se queixa dela com o filho.

Qual a diferença entre um pit-bull e uma sogra?
O pit-bull acaba te soltando.

Este é um drama comum, encenado em famílias do mundo inteiro. Quando os problemas aparecem desde o início do relacionamento, é a nora que, por uma questão de sobrevivência, tem de tomar a iniciativa de construir a ponte. Se durante o tempo de namoro ela reservar todas as suas atenções para o noivo, deixando a sogra de lado, vai pagar um alto preço mais tarde. É importante que ela dedique algum tempo só para a sogra, para que esta a veja como uma pessoa com vida própria, e não simplesmente como a esposa do filho. O importante é que, nesse relacionamento, ela alie simpatia e firmeza, não se deixando intimidar, mas também não querendo impor seus pontos de vista. A dificuldade está no fato de a nora, quando conhece a futura sogra, ser uma pessoa mais moça, em geral imatura e despreparada para os problemas que inevitavelmente surgem.

Quando se deixa os problemas do casamento criarem raízes, mais tarde é muito difícil estabelecer uma discussão produtiva entre as três partes. Dificilmente uma delas irá aceitar o que lhe parece ser uma aliança entre as outras duas. Nesse estágio, o problema tem de ser resolvido pelas partes mais afetadas – o filho e a nora, marido e mulher.

As primeiras perguntas que eles precisam responder são:

– Ambos reconhecem a existência de problemas?

– Querem ter juntos uma vida longa, feliz e amorosa?

– Querem resolver o problema?

Se a resposta para qualquer dessas perguntas é "Não", é aconselhável a terapia de casal. Se a resposta é "Sim", marido e mulher devem sentar e colocar no papel exatamente o que eles acham ser o problema.

No estudo de caso acima, por exemplo, Diana poderia escrever:

– Bernadette chega sem avisar, tira nossa privacidade e nossos planos são constantemente atrapalhados.

– Bernadette telefona toda noite, justo na hora em que estamos desfrutando nossos momentos de convívio familiar.

– Bernadette exige demasiada atenção de Richard, que por causa disso não passa tempo suficiente com a família.

– Bernadette interfere demais, querendo ditar as regras em nossa casa e na criação de nosso filho.

– Bernadette não respeita a minha capacidade e espera que Richard lhe obedeça como se fosse uma criança.

Richard, por sua vez, poderia escrever:

– Minha mãe é sozinha e cabe a nós apoiá-la, mas Diana não se importa com isso.

– Minha mãe não tem um homem em casa para fazer pequenos serviços, e Diana não entende que, como filho, é minha responsabilidade ajudá-la.

– Minha mãe tenta ajudar Diana, mas Diana se recusa a dividir Travis e a receber conselhos úteis sobre a maternidade.
– Minha mãe me faz sentir culpado quando eu não atendo suas solicitações.
– Eu não entendo por que é que minha mulher e minha mãe estão zangadas o tempo todo, quando tudo o que eu quero é estar junto delas.

O problema, portanto, é de Diana e Richard. Bernadette aparentemente não tem problema. Ela teve permissão para continuar controlando Richard, através de quem ela controla Diana e Travis. Richard nunca cortou o cordão umbilical que o une à sua mãe. Ele na verdade "ainda" não saiu de casa, não amadureceu.

A melhor época para se cortar o cordão umbilical é ao nascer.

Diana também é responsável, ainda que involuntariamente. Ao não colocar limites a Bernadette quando os problemas começaram a aparecer, ela na verdade permitiu que a sogra invadisse o seu casamento e a sua família.

Como estabelecer limites

Estabelecer limites significa definir regras e traçar linhas que não devem ser ultrapassadas. Richard e Diana não se deram conta disso e deixaram de estabelecer limites quando se casaram. Esta é uma armadilha em que os jovens costumam cair com muita facilidade. Inexperientes, tendo vivido sempre dentro de limites estabelecidos por outras pessoas, eles não percebem os riscos, e como geralmente acham que os membros da família só estão tentando ajudar com seus conselhos, não são firmes ao definir suas regras.

Estabelecer limites e ser firmes são duas lições fundamentais que os jovens recém-casados precisam aprender. Quando são estabelecidos limites, as pessoas ficam sabendo que a sua transgressão trará problemas. Ficam sabendo até onde podem ir. Se Richard e Diana têm limites em seu casamento, linhas que eles próprios não podem ultrapassar, então por que não colocam limites para Bernadette também?

Diana afirma que Bernadette chega sem ser convidada e sem avisar. Bernadette precisa ser treinada, portanto, a respeito da fronteira da privacidade. É preciso que ela saiba que convém telefonar antes de aparecer. Diana deve explicar que ela e Richard precisam de um tempo de privacidade para relaxar e cuidar de projetos comuns e que visitas não anunciadas podem atrapalhar, por mais que o visitante seja uma pessoa querida. Muito compreensivelmente, Bernadette se sentirá rejeitada e ferida, mas isso é um problema que ela precisará superar.

É natural que Bernadette queira que Richard cuide dos problemas da casa dela, mas aqui também é uma questão de limite. Richard realmente tem responsabilidade de ajudar a mãe, mas de comum acordo com Diana. Os três devem falar sobre o assunto numa hora em que as emoções estejam em baixa. Talvez a solução fosse arranjar um "faz-tudo" e dar a Bernadette o telefone dele. Richard e Diana poderiam até se oferecer para pagar pelos serviços durante um ano inteiro, como presente de Natal ou de aniversário.

Eu e minha sogra fomos felizes durante vinte anos.
Até a gente se conhecer.

Com relação a Travis, Bernadette ultrapassou um limite não estabelecido. O problema diminuirá sensivelmente se as visitas só forem permitidas quando previamente combinadas. Diana tem de ser firme. Deve agradecer a Bernadette pela atenção, mas dizer que ela e Richard recebem orientação do pediatra para o desenvolvimento de Travis, e que pretendem segui-la.

Richard, em comum acordo com Diana, precisa limitar a duração dos telefonemas de sua mãe a, digamos, dez minutos, passados os quais ele deve dizer a Bernadette que tem coisas a fazer, e se despedir.

O mais importante de tudo, porém, é que ele precisa incentivar a mãe a desenvolver atividades fora do âmbito da família, tais como participar de um clube de aposentados, fazer excursões, ter um grupo de leitura, fazer cursos e trabalhos voluntários em hospitais ou organizações assistenciais. É importante que Richard e Diana demonstrem um real interesse pela "nova" vida de Bernadette, até ela ganhar impulso próprio.

É fundamental que, durante todas as conversas, fique claro, através das palavras e das atitudes, que o afeto está preservado, que não existe agressão, que se trata unicamente de garantir a felicidade dos três, por mais estranho que isso possa parecer a Bernadette.

Se você conseguisse convencer sua sogra a caminhar quinze quilômetros por dia, depois de uma única semana ela estaria a 105 quilômetros de distância.

Se Richard resolver manter seu casamento e tomar consciência do mal que causa a interferência da mãe, os problemas dos dois podem ser resolvidos. Basta que o casal estabeleça limites e os faça respeitar. Não é fácil. Bernadette ficará aborrecida de início e provavelmente reagirá com chantagem emocional e afirmações do tipo:

– "Depois de tudo o que eu fiz por vocês!"
– "A quem mais eu posso recorrer?"
– "Vocês não ligam mais para mim."
– "Quando eu morrer vocês vão se arrepender."
– "Você é egoísta – exatamente como seu pai."
– "Eu me sinto tão sozinha agora."

Essas táticas, que são chantagem emocional, só funcionam se você permitir. Mas você *sabe* que tem razão em fazer o que está fazendo, já discutiu o assunto diversas vezes, já analisou todas as possíveis reações e se preparou para lidar com tudo isso. Uma pessoa só consegue fazer você sentir culpa se você concorda em aceitar a culpa.

Você já viu cobra voar?

Então experimente jogar sua sogra pela janela.

O estágio seguinte da reação de Bernadette talvez seja recusar-se a ajudar, isto é, a tomar conta de Travis. Talvez até ameace deserdá-los. São reações previsíveis, mas Richard e Diana têm de se afirmar, se pretendem viver uma vida independente, madura e feliz. Não têm de explicar nem justificar suas decisões, apenas reafirmar que é o caminho que decidiram seguir.

É importante que eles continuem cuidando de Bernadette e apoiando-a durante essa fase. Há de ser tentador abandoná-la, principalmente se a reação for mais forte do que a prevista, mas eles não devem fazê-lo. É preciso mantê-la a par dos progressos da família, incentivando-a, ao mesmo tempo, a construir uma vida própria. Se enfrentarem com simpatia e amor a tarefa de estabelecer limites para Bernadette, uma sólida relação adulta e prazerosa poderá se desenvolver.

Nada disso é fácil e exige da parte do casal muita firmeza e persistência, se realmente estiverem empenhados em manter uma relação harmoniosa e feliz.

Capítulo 7

Os Misteriosos Caminhos da Linguagem Feminina

Um arqueólogo escavava uma ruína quando topou com uma velha lâmpada. Ao esfregá-la para tirar a poeira, apareceu um gênio. "Você me libertou!", disse o gênio. "Eu vou lhe conceder um desejo."

O arqueólogo pensou por um momento e respondeu: "Quero uma ponte com uma autopista ligando a Inglaterra à França!"

O gênio revirou os olhos e resmungou: "Ei, cara, eu acabo de sair da lâmpada, estou moído de cansaço. Você faz idéia da distância que existe entre a Inglaterra e a França? É uma engenharia impossível! Faça outro pedido!"

O homem refletiu por um momento e pediu: "Eu gostaria de poder me comunicar com as mulheres."

O gênio empalideceu e perguntou: "Uma ou duas pistas?"

Se você é homem, este é um dos capítulos mais importantes deste livro. Mas como é muito provável que se sinta cético a respeito de algumas das coisas que irá ler, sugerimos que confirme cada item com uma mulher próxima de você.

Durante mais de uma década, nós coletamos e registramos respostas a pesquisas sobre como homens e mulheres se comunicam e recorremos à ciência do comportamento humano para explicar suas diferenças.

Pesquisamos homens de diferentes nacionalidades e raças. Conseqüentemente, estamos aptos a revelar a lógica intrigante que há por trás das cinco perguntas masculinas mais freqüentes a respeito da forma como as mulheres se comunicam. Para a maioria dos homens, esses segredos são ao mesmo tempo fonte de diversão e confusão. Mas para aqueles que conseguem conhecê-los, um novo nível de relacionamento com o sexo oposto se abre. Eis as perguntas:

1. Por que as mulheres falam tanto?
2. Por que as mulheres sempre querem falar sobre problemas?
3. Por que as mulheres exageram?
4. Por que as mulheres nunca vão direto ao assunto?
5. Por que as mulheres querem saber os mínimos detalhes?

Por que as mulheres falam tanto?

A enorme capacidade que as mulheres têm de conversar é uma coisa que a maioria dos homens encontra enorme dificuldade de entender. Em *Por que os Homens Fazem Sexo e as Mulheres Fazem Amor?* nós tratamos dessa questão em detalhe; portanto, vamos apresentar aqui apenas um breve resumo.

As mulheres evoluíram agrupadas com outras mulheres e crianças dentro e nas proximidades das cavernas. A capacidade de construir e consolidar relacionamentos íntimos era fundamental para a sobrevivência de cada uma delas. Os homens evoluíram perseguindo alvos móveis. Quando se engajavam em alguma atividade, as mulheres falavam o tempo todo, como forma de se manterem unidas. Enquanto isso, os homens, quando caçavam e pescavam, evitavam falar para não espantar a presa. O homem moderno também, quando sai para caçar ou pescar, não fala muito. E a mulher moderna, quando sai para coletar (fazer compras), ainda conversa o tempo todo. As mulheres não precisam de um motivo para falar, nem de um propósito específico. Elas falam para estarem conectadas.

A seguir temos as imagens cerebrais de homens e mulheres conversando. As áreas escuras são as partes do cérebro em atividade.

As imagens revelam como o cérebro da mulher é amplamente utilizado para as funções da fala e da linguagem. Em *Por que os*

Áreas do cérebro relacionadas à fala e à linguagem.
Instituto de Psiquiatria de Londres, 2001.

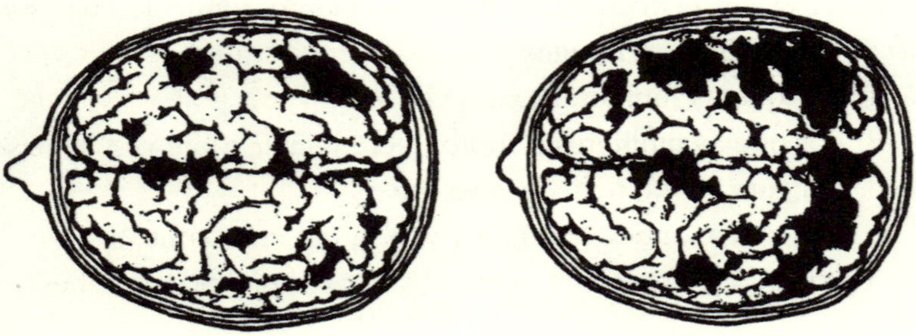

Homem *Mulher*

Homens Fazem Sexo e as Mulheres Fazem Amor? mostramos que o cérebro da mulher pode produzir, sem esforço, de seis mil a oito mil palavras faladas por dia. Compare-o com a produção média diária de palavras de um homem – duas a quatro mil – e você entenderá por que a capacidade de falar das mulheres causa tantos problemas entre casais. Um trabalhador esgota a sua produção de palavras no meio da tarde e vai para casa encontrar uma mulher que ainda tem de quatro a cinco mil palavras para dizer! Duas mulheres podem passar o dia inteiro juntas e depois ainda falar durante uma hora inteira ao telefone. A reação do homem diante disso é perguntar "Por que você não disse tudo isso a ela quando estavam juntas?".

Possuir um cérebro que não é forte nas aptidões do discurso e da linguagem responde em ampla medida pelas notáveis diferenças de gênero nos índices de problemas da fala: a gagueira é uma disfunção três a quatro vezes mais freqüente entre os homens do que entre as mulheres, e a dislexia grave, cerca de dez vezes.

O cérebro do homem está configurado para a solução contínua de problemas. Os homens usam a fala e a linguagem para comunicar fatos e dados. A maioria dos homens "só fala se tem algo a dizer", isto é, quando quer comunicar fatos, dados ou soluções. Isso cria sérios problemas de comunicação com as mulheres, porque a "conversa" das mulheres é completamente outra, uma forma de retribuição e um modo de se ligar à outra pessoa. Dito de maneira simples, se ela se sente atraída por você, se ela gosta do que você está dizendo ou quer fazer você se sentir aceito e importante, ela fala com você. Se não, ela simplesmente não fala.

O cérebro do homem é orientado para soluções.
O da mulher, para processos.

Como já dissemos, o homem só fala com outro homem sobre problemas pessoais se acha que o outro tem uma solução. Como já explicamos, o homem a quem se pede opinião se sente honrado e oferece suas soluções. Quando uma mulher fala, porém, ela o faz fundamentalmente para criar um vínculo com a outra pessoa, não para pedir soluções. Infelizmente, o homem costuma pensar que a mulher discute seus problemas porque não sabe como lidar com eles e fica o tempo todo interrompendo com soluções.

Não admira que a mulher sempre reclame que o homem a interrompe e não a deixa expressar seus pontos de vista. Do ponto de vista da mulher, ao oferecer soluções o tempo todo, o homem dá a impressão de que sempre quer ter razão e de que ela sempre está errada. Para a mulher, dividir suas emoções e problemas com alguém é uma demonstração de confiança na pessoa.

Ao lhe fazer confidências pessoais, ela não está
se queixando – está demonstrando que confia em você.

O contrário é também verdade – se ela não gosta ou não ama uma pessoa, se ela não concorda com o que essa pessoa está dizendo, ou quando quer puni-la, ela pára de falar. O silêncio como forma de punição é uma tática eficaz, sobretudo quando usada com outras mulheres. Com os homens ela em geral não funciona – os homens comumente vêem a "paz e tranqüilidade" obtida com o silêncio da mulher como um prêmio.

As mulheres usam o silêncio para punir os homens. O problema é que os homens adoram o silêncio.

A melhor maneira de a mulher punir o homem é conversar com ele sem parar e ficar mudando de assunto.

A solução para homens e mulheres

O ideal seria que cada um pudesse dizer ao outro como se sente e ir aprendendo sobre as diferenças entre os gêneros e sobre as características específicas de seu parceiro. Nunca é demais repetir: quando duas pessoas fazem isso conscientes de que querem investir na relação, as observações mútuas conseguem perder o caráter de crítica e acusação e passam a ser elementos fundamentais na construção da felicidade mútua. Só assim se cria intimidade e cumplicidade.

É importante o homem entender que o principal objetivo da "conversa" da mulher é falar. O objetivo dela é se sentir melhor falando sobre o seu dia e ligar-se a você – na quase totalidade das vezes não se trata de buscar soluções. O conteúdo da conversa com o homem não é importante, é a participação dele que conta.

Já sugerimos antes, mas nunca é demais repetir. Quando você, mulher, quiser falar com seu parceiro, peça-lhe explicitamente que reserve um tempo para isso e diga-lhe que quer apenas que ele ouça, sem interromper para oferecer soluções. Se você tem uma questão a tratar com ele, seja direta e clara. Sem qualquer agressividade.

Por que as mulheres sempre querem falar sobre problemas?

A mulher vive em média sete anos mais do que o homem, sobretudo devido a sua maior capacidade de lidar com o estresse. Quando quer esquecer um dia estressante, o homem pensa ou faz alguma outra coisa. Seu cérebro de trilha única lhe permite concentrar-se nas notícias, na televisão, em regar o jardim, navegar na Internet ou montar um aeromodelo, para se desligar dos problemas. Concentrando-se em outras coisas, uma de cada vez, ele consegue aparentemente esquecer seus problemas. Quando não se ocupa com outra atividade, um homem estressado pára de falar e vai sentar sozinho "na frente da fogueira" para achar uma solução para o seu problema. O perigo está em que o estresse internalizado pode causar doenças como diarréia, constipação, úlcera estomacal e ataque cardíaco – felizmente não todos ao mesmo tempo.

As mulheres lidam com o estresse falando abundantemente sobre seus problemas, abordando-os sob vários aspectos, e assim vão elaborando uma possível solução. Falar sobre seus problemas é a sua maneira de aliviar o estresse. Um homem que falasse assim daria aos outros homens a impressão de que se sente incapaz e está buscando soluções… que lhe seriam prontamente oferecidas.

Estudo de caso: Lisa, Joe e a discussão da meia-noite

Lisa e Joe discutiam muito quando passaram a viver juntos. Era comum as discussões se arrastarem até bem depois da meia-noite. O problema era que Lisa fora criada acreditando que o casal nunca deve deixar nenhuma pendência para o dia seguinte. Deviam sempre se beijar e fazer as pazes antes de ir dormir. Por isso ela falava, falava e falava sobre o problema em pauta – até ele desembocar em outra discussão. Joe não conseguia lidar com isso. Ele preferiria mil vezes ter uma briga e depois ir dormir e esquecer.

Lisa queria reduzir seu nível de estresse e ficava ansiosa para chegar a uma decisão satisfatória para ambos, enquanto que Joe achava que eles voltavam sempre às mesmas questões. No fim do dia, ele já havia discutido tudo o que havia para discutir e ficava feliz de deixar a divergência descansar.

Meu marido e eu decidimos nunca dormir antes de resolver nossas pendências. Uma noite nós ficamos acordados durante seis meses.

PHYLLIS DILLER

Para os homens, a razão pela qual as mulheres gostam tanto de discutir todos os detalhes, principalmente tarde da noite, é um mistério. O problema é que o cérebro feminino é programado para valorizar processos. As mulheres gostam de discutir detalhadamente todos os aspectos de suas ações e sentimentos. Os homens tendem a recuar ante essa perspectiva. Preferem discutir a questão e resolvê-la rapidamente. Gostam de ir para a sua rocha pensar em alguma outra coisa.

Existem duas teorias sobre como discutir com uma mulher. Nenhuma delas funciona.

RODNEY DANGERFIELD

As mulheres acreditam que falar faz todo mundo se sentir melhor. Os homens acham que falar só faz piorar as coisas.

Solução

Vamos partir do pressuposto que, quanto mais os homens e as mulheres estiverem conscientes de suas diferenças, mais fácil se torna o relacionamento. Por isso, quando a mulher começar a esmiuçar um problema que lhe parece não fazer sentido, lembre-se que ela precisa falar para se sentir melhor. Ouça-a com a maior solidariedade possível e diga-lhe que você estará ali para acolhê-la sempre que precisar. Pergunte-lhe se ela quer alguma ajuda e coloque-se disponível para aconselhá-la quando ela quiser. Não minimize o impacto que determinados fatos podem causar nela. Nesse momento, ela precisa apenas do seu carinho e autêntica atenção.

Uma das cem coisas que a mulher gostaria que os homens soubessem: tudo o que ela disse há seis ou oito meses é inadmissível na discussão atual.

Mas respeite também os seus limites. Se o problema que a mulher traz diz respeito ao relacionamento de vocês, e você de fato não se sente capaz de discuti-lo na hora, pergunte delicadamente se ela pode deixar o assunto para outro momento. Diga, por exemplo: "Desculpe, coração, mas esse assunto é muito pesado para a minha cabeça hoje. Eu quero discuti-lo com você, mas não dá pra gente falar sobre isso um pouco mais tarde?" Essa maneira de tratar o problema é mais respeitosa e tem muito mais chance de funcionar do que não dizer nada e simplesmente esperar que a mulher termine de dizer tudo o que tem para falar.

Por que as mulheres exageram?

Tanto os homens quanto as mulheres exageram. A diferença é que os homens exageram os fatos e as mulheres exageram as emoções e os sentimentos. O homem exagera a importância do seu trabalho, o tamanho da sua renda ou do peixe que pescou, o desempenho do seu carro e a quantidade de mulheres bonitas com quem saiu. A mulher exagera o seu sentimento e o dos outros quando se trata de alguma questão pessoal ou do que alguém falou. O cérebro da mulher está enfocado em pessoas, por isso ela fantasia muito mais do que o homem sobre a vida e os relacionamentos. Além do mais, essas fantasias e esse exagero tornam as conversas muito mais interessantes.

O exagero torna muito mais excitantes
as conversas sobre relacionamentos.

Exagerar palavras e emoções é um comportamento perfeitamente normal entre mulheres que conversam entre si. Em geral, a mulher gosta de sonhar que um galã da TV a convidará para uma noite inesquecível, mesmo que invariavelmente acabe se apaixonando pelo rapaz tímido e franzino que conheceu na casa de amigos.

Eis alguns exemplos de exageros femininos:

"Eu já lhe pedi um milhão de vezes para recolher suas toalhas molhadas."

"Você sempre espera que eu faça todo o trabalho da casa e tome conta das crianças ao mesmo tempo."

"Quando eu a vi com aquele vestido, achei que ia morrer!"

"Você sempre faz isso comigo."

"Não falo com você nunca mais!"

Para o homem, os exageros da mulher podem ser frustrantes porque, como o seu cérebro entende as coisas a partir de fatos e dados, ele interpreta literalmente as palavras. Por exemplo, se ele discorda da mulher na frente de amigos, ela dirá mais tarde: "Você sempre me diminui e nunca me deixa ter a minha própria opinião! Você sempre faz isso comigo!" Ele provavelmente irá tomar essa acusação ao pé da letra, dizer que não faz isso sempre e se defender dando exemplos: "Isso não é verdade! Eu não fiz isso nenhuma vez a noite passada e não faço há meses!" Ela replica lembrando os dias, lugares e horários em que ele cometeu a mesma ofensa. Ele fica ferido e indignado, até porque não considera que discordar da mulher seja diminuí-la. Mas para ela o mais importante não é a ofensa cometida. Tudo o que ela quer é que ele a valorize na frente dos amigos. Ela estava exagerando suas emoções e ele, contestando no plano dos fatos e dos dados.

Eu quero um milhão... mas um de cada vez.

MAE WEST sobre os homens.

Apesar de sua capacidade de falar, a mulher também recorre à linguagem corporal para enviar e receber informação. A linguagem do corpo revela o estado emocional da mulher e é responsável por 60 a 80% do impacto de sua conversa. Aos olhos dos homens, a mulher parece estar sempre mexendo os braços e usando uma variedade de gestos e expressões faciais quando fala, inclusive ao telefone. A mulher se comunica com uma escala de cinco tons, mas os homens são capazes de identificar apenas três. A mulher transmite boa parte do que quer dizer pelo tom de voz. A maioria das mensagens não são verbais. Para as mulheres, as emoções e sentimentos são o que conta e o tom de voz e a linguagem corporal são os principais canais para comunicá-los.

Como a mulher pode enganar a si mesma

Quando a mulher rememora uma cena em sua cabeça, pode parecer que a lembrança é real. Essa carta de Jessica mostra como acontece:

"Eu e Luke combinamos nos encontrar para jantar no nosso restaurante favorito, no sábado à noite, por volta das oito horas.

Nesse dia Luke foi ao futebol com os amigos e eu me diverti a valer com umas amigas que eu não via desde que decidimos viver juntos. Passamos a manhã inteira fazendo compras, depois almoçamos e tomamos café e ficamos conversando sobre um milhão de assuntos, de maneira que perdi a hora e me atrasei um pouco. Eu sabia que ia ser um jantar romântico e estava excitada, louca para ver Luke.

Quando cheguei, ele estava sentado, olhando pela janela. Pedi desculpas pelo atraso, disse que tinha tido um dia excelente com as amigas e mostrei o que tinha comprado. Dei-lhe um presente especial – um belo par de abotoaduras douradas. Ele resmungou "Obrigado", colocou-as no bolso e ficou lá sentado sem dizer nada.

O humor dele estava tão estranho que eu pensei que ele estivesse me castigando por ter chegado atrasada. Durante o jantar, a conversa foi realmente difícil e nem um pouco interessante. Era como se ele estivesse a cem quilômetros de distância. Decidimos tomar café em casa.

A viagem de volta foi silenciosa. Agora eu sabia que tínhamos algum problema sério. Fiquei dando tratos à bola para imaginar o que poderia ser, mas decidi esperar chegar em casa para falar. Eu tinha algumas suspeitas mas não queria dizer nada ainda.

Quando chegamos, Luke entrou direto na sala, ligou a TV e ficou assistindo, sem me dar a menor atenção. Os olhos dele pareciam dizer que tudo estava acabado entre nós. Eu comecei a achar que uma coisa de que eu estava desconfiada havia algum tempo era verdade – ele deve ter outra mulher, está pensando nela e não quer me falar para não me ferir. E estava ficando claro também quem era ela – Debbie, aquela vadia de minissaia lá do trabalho dele! Eu vi a maneira como ela mexe as cadeiras toda vez que passa por ele. E ele acha que eu sou uma idiota, que não reparei como ele olha para ela com aquele sorrisinho estúpido. Eles devem achar que eu sou cega! Bem, eu fiquei sentada ali na sala com ele uns quinze minutos até não agüentar mais. Fui para a cama. Dez minutos mais tarde, Luke veio também para a cama e me surpreendeu querendo se aconchegar. Não resistiu às minhas carícias e fizemos amor. Mas depois ele simplesmente se virou e foi dormir. Eu fiquei tão chateada e estressada que passei horas acordada. Depois chorei até dormir. Achei que o fim estava próximo.

Prometi a mim mesma que no dia seguinte ia enfrentar a situação e exigir que ele me dissesse a verdade. Quem é a outra mulher? Ele a ama ou é só uma aventura? Por que os homens não dizem a verdade? Tudo o que eu sei é que não posso mais viver assim..."

O que Luke estava realmente pensando naquela noite:

"Meu time perdeu. Levou o maior ferro... Se continuar assim, vai acabar desclassificado!"

Solução

Se você é homem, entenda a necessidade feminina de exagerar as emoções e os sentimentos e não os tome em sentido literal. Nunca chame sua parceira de "rainha do drama" nem a corrija na frente dos outros. Ouça a verdade dela, mesmo que internamente você dê um certo desconto. Depois, o mais carinhosamente possível, ajude-a a relativizar sem dizer o que ela deve pensar ou dizer. A mulher, por outro lado, precisa perceber que, como o homem toma as coisas ao pé da letra, ela deve tentar ser objetiva e limitar o exagero. Esta providência é especialmente importante quando se trata de negócios, onde o exagero pode ser motivo de muita confusão e prejuízos.

Por que as mulheres nunca vão direto ao assunto?

Para os homens, as mulheres parecem preferir ficar dando voltas do que ir direto ao assunto. Às vezes o homem se sente como se tivesse de adivinhar o que a mulher quer, ou ser capaz de ler a mente dela. Esse modo aparentemente vago de falar é conhecido como linguagem indireta.

Esta carta de um leitor mostra bem como uma mulher pode fazer o homem se sentir:

"Minha mulher anda caprichando no discurso indireto. Ontem, por exemplo, ela estava na cozinha e me disse: 'Na reunião de equipe de hoje, minha supervisora disse... não come o salame.'

'O quê?', eu me surpreendi, 'ela disse para não comer o salame?'

'Ela não, você', respondeu minha mulher, com um tom exasperado, 'Eu não quero que você coma o salame. Vou usá-lo mais tarde.'

Fiquei parado, com cara de idiota, tentando localizar a seqüência da conversa, enquanto ela continuava de onde tinha parado, me contando o que a sua supervisora lhe dissera.

Ela faz isso constantemente. É capaz de desenvolver quatro ou cinco diferentes linhas de pensamento simultaneamente com a maior facilidade, enquanto eu me viro para acompanhar. Todas as suas amigas parecem acompanhar seu raciocínio, mas a mim e aos meus dois filhos isso causa tremendos danos cerebrais. Como pode uma mulher tão inteligente ser tão avoada quando fala?

Hoje, enquanto levava uma cesta de roupa suja para a garagem, eu disse: 'Mais tarde vou precisar ir à loja de ferragens.'

Fiquei trabalhando na garagem uma meia hora, e nesse tempo eu pus a roupa na máquina de lavar, mexi numas caixas, limpei uma prateleira e fiz uma lista de providências para a próxima semana. Quando entrei em casa ela perguntou, sem parar o que estava fazendo: 'Por quê?'

'Hein? Por que o quê?', eu perguntei.

'Do que é que você está precisando?'

'Não estou precisando de nada! Do que é que você está falando?'

'Se você não precisa de nada, por que está indo à loja de ferragens?', ela perguntou, cruzando os braços com aquela cara emburrada de 'o-que-é-que-você-está-armando' que a maioria dos homens casados conhece bem.

Ora, esse assunto para mim já estava encerrado há muito tempo, mas para a minha mulher é absolutamente natural retomar uma conversa interrompida há mais de uma hora, se ela achar que o assunto não foi resolvido.

Acho que ela está convencida de que eu não escuto, e eu estou meio convencido de que ela está certa. Vou tentar entender mais tarde, depois que acabar o meu sanduíche de salame.

Raymond Frustrado."

Quando a mulher fala, geralmente usa a linguagem indireta. Isso significa que ela insinua o que quer ou o que deduz das coisas. Quando as mulheres usam entre si a linguagem indireta, raramente há problemas – elas têm sensibilidade para perceber o real significado do que é dito. Mas essa linguagem pode ser desastrosa quando falam com os homens, que usam a linguagem direta e interpretam as palavras literalmente. Como já dissemos, o cérebro masculino evoluiu como um mecanismo de foco único por exigência da caçada. Os homens acham desconcertante a aparente falta de estrutura e de propósito da conversa feminina e acusam as mulheres de não saberem do que estão falando. Eles respondem dizendo coisas como: "Afinal, do que é que você está falando?", "Qual é a conclusão?", ou então as interrompem dizendo: "Nós já falamos sobre isso uma dúzia de vezes", "Quanto tempo isso ainda vai durar?" e "Essa conversa é muito complicada e não vai levar a lugar nenhum!".

A linguagem indireta nos negócios

O uso da linguagem indireta e de trilhas múltiplas nos negócios pode ser problemático para a mulher, porque os homens têm dificuldade de acompanhar a conversa. Os homens, para poderem tomar decisões, precisam ser apresentados a idéias e informações claras, lógicas e organizadas. A mulher pode ver rejeitadas as suas idéias e solicitações simplesmente porque o seu chefe não faz a menor idéia do que ela quer. Marie foi a vítima clássica.

Depois de seis meses de negociações, Marie teve a chance de apresentar o novo programa de publicidade de sua empresa a um grande cliente do ramo financeiro. A audiência era formada por oito homens e quatro mulheres. A conta a ser conquistada valia duzentos mil dólares e ela só tinha trinta minutos para vender a sua história. Era a única chance de conquistar o título. No dia da apresentação, tão bem ensaiada que poderia fazer até dormindo, Marie chegou adequadamente vestida, com um conjunto sóbrio, o cabelo feito e a maquiagem ligeira e natural.

Mas logo ao começar, ela notou que os homens a olhavam como se não estivessem entendendo. Diante da sensação de que eles a estavam julgando negativamente e perdendo o interesse pela apresentação, ela começou a entrar por vários atalhos, acrescentando detalhes supérfluos e voltando a slides já passados para mostrar como eles se relacionavam uns com os outros. As mulheres a encorajavam com sorrisos, caras e expressões vocais como "Uh, hum", "Certo!" e mostrando-se interessadas. Estimulada pela reação feminina, Marie passou a dirigir para elas o seu discurso, ignorando inadvertidamente os homens. Toda a apresentação se transformou num exercício de malabarismo. Ela terminou e saiu, convencida de que fizera um bom trabalho, e ficou esperando ansiosamente a resposta da empresa.

Assim foi a conversa dos executivos homens durante o café, depois que Marie saiu:

Diretor de Marketing: "Vocês têm alguma idéia do que é que ela estava falando?"

Diretor Executivo: "Não... ela me confundiu. Diga-lhe para mandar a proposta por escrito."

Marie "multitrilhou" sua apresentação usando a linguagem indireta com um grupo de homens que queria ouvir uma apresentação objetiva, enxuta e dentro de sua lógica. As executivas ficaram satisfeitas e participaram com perguntas, mas nenhum homem quis levantar a mão e admitir que não havia entendido. A mulher precisa entender que o homem, quando não consegue acompanhar o que ela diz, prefere fingir que entende do que passar por idiota. Só que não fica convencido.

Quando um homem não consegue acompanhar o discurso de negócios de uma mulher, ele finge que entende.

A mulher precisa usar uma linguagem direta, dando horários, cronogramas, respostas conclusivas e prazos. Deve ser direta com os homens nos negócios, abordando um assunto de cada vez, com começo, meio e fim, sem perder-se em atalhos. Marie ainda está à espera de uma resposta...

Linguagem indireta em casa

Quando a mulher diz...	Ela quer dizer...
Precisamos conversar...	Estou aborrecida ou tenho um problema causado por você.
Está um calor infernal neste quarto...	Deixa de ser chato e liga o ar refrigerado!
Lamento...	Você vai lamentar!
É claro que não estou chateada.	É claro que estou chateada!
Você é quem resolve...	Apenas concorde comigo.
Você me ama?	Quero alguma coisa.
Estou com uma bruta dor de cabeça...	Não estou com a menor vontade de fazer sexo.
Você me ama muito?	Eu fiz uma coisa que você não vai gostar.
Seja romântico, apague a luz.	Não quero que você veja minhas coxas flácidas.

Estudo de caso: Barbara e Adam

Barbara saiu para fazer compras com as amigas e queria que seu filho Adam, de 16 anos, limpasse a cozinha. "Adam, você pode fazer o favor de limpar a cozinha para mim?", ela perguntou. "Hum... tá...", ele resmungou em resposta. Quando ela retornou do passeio, a cozinha continuava igual. Barbara ficou furiosa com o filho. "Mas eu ia limpar antes de sair à noite!", ele se lamuriou. O problema foi causado pela própria Barbara. Ela usou a linguagem indireta supondo que Adam iria entender que, quando ela voltasse para casa com as amigas, a cozinha devia estar limpa. Ela perguntou: "Você quer limpar a cozinha?" Nenhum rapaz "quer" limpar a cozinha. Adam também não. Uma solicitação direta com um prazo final, como "Adam, por favor, limpe a cozinha antes de eu voltar das compras ao meio-dia", teria garantido um melhor resultado.

Filhos não "querem" fazer tarefas domésticas, eles precisam ser instruídos diretamente a fazê-las.

Naquela noite, Barbara disse a Adam: "Eu gostaria que você estudasse durante uma hora antes de ir para a cama." Esse discurso indireto funciona com garotas, mas é inútil com garotos. O cérebro do garoto ouve que a mãe gostaria que ele fizesse tal coisa, mas como ele na verdade não foi instruído para fazê-la, não faz. Uma instrução direta com prazo-limite é a única forma realista de lidar com os homens.

"Adam, eu quero que você vá para o seu quarto e estude durante uma hora. Eu irei lhe dar boa-noite antes de você dormir." Instruções diretas deixam pouco espaço para problemas de comunicação. Além disso, os homens apreciam instruções claras. As mulheres temem que a linguagem direta seja demasiado agressiva. E pode até ser, quando usada com outra mulher. Com os homens, porém, o discurso direto é perfeitamente normal, porque é assim que eles se comunicam.

Solução

Para a mulher: Com os homens, procure usar apenas o discurso direto. Isto não significa ser agressiva. Você pode perfeitamente dizer, com serenidade e afeto: "Vamos marcar uma hora para conversar? Sinto que estamos precisando resolver alguns problemas." E lembre-se do que já dissemos antes: ao falar dos problemas, deixe claro que é como *você* os vê e sente, o que não significa que sejam exatamente assim. Procure não estender-se demais e dê espaço para ouvir o que o seu parceiro tem a dizer. Ouvir de verdade, sem defender-se ou contestar imediatamente. No começo pode parecer difícil, mas com o tempo esta prática lhe trará os resultados desejados. Você terá menos desentendimentos com os homens de sua vida.

Para os homens: Se a mulher está falando e você tem dificuldade de acompanhar a sua linha de pensamento, comece escutando, sem oferecer soluções. Quando muito, dê a ela um limite de tempo: "Eu quero assistir ao jornal das sete, meu bem, mas até lá sou todo seu." Mais uma vez: tente mostrar-lhe os seus próprios limites e sua forma de ser. Assim vocês terão a preciosa chance de irem se conhecendo melhor e respeitando suas diferenças.

Um de nossos leitores nos enviou o Dicionário dos Termos Femininos Indiretos que aparecem durante suas discussões regulares.

"Ótimo" – A mulher usa esta palavra no final de toda discussão em que acredita estar com a razão mas quer que o homem cale a boca.

"Cinco minutos – Quer dizer, cerca de meia hora. Equivale aos cinco minutos do homem quando está assistindo a uma partida de futebol e a mulher lhe pede um favor.

"Nada" – Significa "alguma coisa". "Nada" é geralmente usado para descrever o sentimento da mulher quando ela está com vontade de esganar o homem. "Nada" costuma significar o começo de uma discussão que irá durar "cinco minutos" e terminar com a palavra "ótimo".

"Vá em frente" (com as sobrancelhas erguidas) – É dito em tom de desafio, depois de a mulher dizer "nada".

"Vá em frente" (com as sobrancelhas normais) – Significa "eu desisto" ou "Faça o que quiser porque eu não estou nem aí". Você deverá receber um "Vá em frente" (sobrancelhas erguidas) dentro de alguns minutos, seguido de "Nada" e "Ótimo", e ela diz que lhe explicará o motivo em "cinco minutos", quando esfriar a cabeça.

Suspiro audível – Significa que ela acha você um idiota e se pergunta por que fica perdendo tempo discutindo com você por "Nada".

"Aah?" – No começo de uma frase, "Aah" em geral significa que você foi apanhado numa mentira. Por exemplo, "Aah? Eu falei com seu irmão sobre o que vocês andaram fazendo a noite passada" e "Aah? Você espera que eu acredite?". Ela lhe dirá que está "ótima" enquanto joga as suas roupas pela janela. E não tente mentir mais para escapar porque receberá um "Vá em frente" (sobrancelhas erguidas).

"Tudo bem" – Significa que ela quer pensar muito antes de retribuir o que quer que você tenha feito. "Tudo bem" é geralmente usado com "Ótimo" e em conjunção com "Vá em frente" (sobrancelhas erguidas). Em algum momento do futuro próximo, quando ela tiver tramado e planejado, você vai estar numa grande enrascada.

"Por favor" – Não é um pedido, é uma oferta para que você fale. A mulher está lhe dando a chance de inventar uma desculpa ou um motivo para você ter feito o que quer que tenha feito. Se você não falar a verdade, vai ganhar no final um "Tudo bem".

"É mesmo?" – Ela não está questionando a validade, está simplesmente dizendo que não acredita numa só palavra do que você diz. Você se oferece para explicar e recebe um "Por favor". Quanto mais você se desculpa, mais alto e sarcástico se torna o "É mesmo?" dela, temperado com um monte de "Aahs", "sobrancelhas erguidas" e um "suspiro audível" final.

"Muito obrigada" – A mulher diz isso quando está realmente aborrecida com você. Significa que você a magoou cruelmente e o passo seguinte será um "suspiro audível". Não pergunte o que há de errado depois do "suspiro audível", porque ela dirá "Nada". A próxima vez que ela vai permitir que você faça sexo com ela será "Um dia".

Por que as mulheres querem saber os mínimos detalhes?

Josh estava lendo o jornal certa noite quando o telefone tocou. Ele atendeu, ouviu durante uns dez minutos fazendo grunhidos ocasionais e disse: "Sim, está bem. A gente se fala..." Desligou e continuou lendo.

"Quem era?", perguntou sua esposa Debbie.

"Robert, um antigo colega de escola", ele disse.

"Robert? Você não o vê desde o secundário! Como ele está?"

"Ótimo."

"Então... o que ele contou?", ela perguntou.

"Nada de importante... Ele está legal... está ótimo", Josh respondeu naquele tom contrariado que os homens têm quando estão tentando ler o jornal.

"Foi isso o que ele disse depois de dez anos? Que está ótimo?", ela insistiu.

E começou a inquiri-lo como uma advogada, fazendo-o desdobrar detalhadamente cada ponto da conversa, querendo conhecer cada minúcia.

Essa situação, de que já tratamos antes, mostra uma diferença cerebral básica entre homens e mulheres. Para os homens, detalhes são irrelevantes. A mulher acha que quando o homem não fala muito é porque ele não está interessado nela, pois para as mulheres as palavras são usadas para unir. O homem acha que a mulher fala demais e o atormenta com tantas perguntas.

As mulheres estão programadas para saber todos os detalhes

Defensora de ninhos e da prole, a mulher tratava de assegurar para si um estreito círculo de amigas que cuidassem dela caso seu homem não retornasse da caçada ou da guerra. O grupo de amigas era o seu seguro social. Sua sobrevivência dependia de sua capacidade de se ligar a outras mulheres, o que significava saber todos os detalhes e se interessar ativamente pela situação de cada membro do grupo e suas famílias.

Depois de uma atividade social, as mulheres sabem tudo o que cada membro do grupo, ou da família, está fazendo, seus sonhos e metas para o ano, seu estado de saúde e a situação de seus relacionamentos. Sabem também onde as amigas passarão as férias e como os filhos vão indo na escola. Os homens sabem quais novos "brinquedos de meninos" os outros homens compraram, já foram ver o novo carro esporte vermelho de Bob, já discutiram quais são os bons lugares para pescar, já decidiram como se deve derrotar o terrorismo e como a Inglaterra pode ganhar da Alemanha no futebol... ah, sim... e as últimas piadas. Mas sabem muito pouco sobre a vida pessoal de qualquer pessoa do grupo – suas esposas lhes dirão tudo no caminho de casa.

Não se trata de que as mulheres sejam curiosas... bem, elas

não deixam de ser... é que com a sobrevivência a longo prazo programada em seus cérebros, elas querem saber como vai cada pessoa de seu grupo e como podem ajudar.

Solução

Se você é homem, entenda que a necessidade que a mulher tem de saber detalhes e informações pessoais está programada em sua psique e visa à sobrevivência dos relacionamentos. Portanto, quando você falar com a mulher, procure lhe dar mais detalhes do que costuma e não se impacientar com suas perguntas. Convide-a para uma longa caminhada e deixe-a falar. Dessa forma, vocês farão um ótimo exercício. Lembre-se mais uma vez: você não precisa se preocupar em dar respostas ou trazer soluções – basta ouvi-la com interesse verdadeiro.

E se você é mulher, procure evitar o excesso de detalhes, sobretudo numa reunião de negócios, em que você deve ir direto ao assunto, sendo precisa e sucinta. Em casa, diga ao seu parceiro que está com vontade de lhe contar o que aconteceu, pergunte se ele está disponível, respeite seus limites. E se, ao relatar acontecimentos ligados a outras pessoas, sentir que ele está desinteressado, não se sinta ofendida. Coisas que parecem importantes para você podem ser irrelevantes para ele. Diga o que sente e ouça o que ele sente, sabendo que homem e mulher são estruturalmente diferentes.

Capítulo 8

"Você Acha que Eu Fico Gorda com Esta Roupa?"

Por que os homens mentem?

O novo homem da sua vida jura que está tudo acabado com a ex, mas você sabe que ele tem um retrato dela na gaveta do escritório. Seu instinto feminino lhe diz que alguma coisa está errada, mas você não sabe dizer o que é.

Sua namorada ligou na última hora cancelando o encontro com você e arranjando uma desculpa que lhe pareceu esfarrapada. Você desconfia. Você estaria sendo enganado?

Mentira: *substantivo*, ação pela qual uma pessoa se propõe a enganar deliberadamente outra pessoa.

Quem mente?

Todo mundo mente. A maioria das mentiras ocorrem nos primeiros encontros, quando todos querem se apresentar da melhor maneira. A maioria das mentiras que contamos são Mentiras Brandas, aquelas que existem para que possamos viver juntos sem violência ou agressão, já que muitas vezes preferimos a sutil distorção dos fatos à verdade nua e crua. Se você tem um nariz grande demais, não quer ouvir a verdade sobre ele – prefere ouvir que ele lhe dá personalidade, que ninguém repara nele ou que ele tem um tamanho adequado ao seu rosto.

Diga sempre a verdade – depois saia correndo.

PROVÉRBIO

Se você tivesse dito a estrita verdade a todas as pessoas com quem interagiu na última semana, o que teria acontecido? Se dissesse as exatas palavras que passam por sua cabeça, como reagiriam as pessoas? Uma coisa é certa: você seria considerado uma pessoa insuportável, provavelmente não teria mais nenhum amigo e possivelmente estaria desempregado. Imagine as seguintes situações:

"Oi, Maria. Como os seus seios estão caídos. Por que não põe um sutiã novo ou procura um cirurgião plástico?"

"Oi, Adam. Você está precisando ver a razão do seu mau hálito. E por que não corta esses pêlos do nariz?"

"Esta reunião que você organizou está chatíssima. Não há uma só pessoa interessante e a cerveja está quente."

Quando foi a última vez que você mentiu? Bem, talvez você não tenha propriamente mentido, mas deixado de dizer ou contar alguma coisa que teria causado sofrimento à pessoa. Talvez você tenha exagerado um pouco ao preencher um formulário de pedido de empréstimo ou de solicitação de emprego para se apresentar da melhor maneira.

Quando você vendeu o carro, talvez tenha deixado de mencionar aquele vazamento de óleo do motor ao falar das excelentes condições em que ele se encontrava. Quando anunciou a casa para vender, você deixou de mencionar que a vizinha cria gatos e que às vezes o mau cheiro é insuportável. Talvez você não tenha contado ao marido que encontrou um antigo namorado e que seu coração disparou. Ou que o grupo de amigos com quem ia almoçar acabou se reduzindo à morena vistosa que trabalha no escritório ao lado. Por acaso você não ocultou dos outros a lipo que fez ou a prótese que colocou para modelar o corpo? Alguma vez não mentiu a respeito de seu peso e sua idade? A lista das pequenas e grandes mentiras é interminável. Todos mentimos constantemente uns para os outros. Os pais mentem para os filhos a respeito de sexo e os adolescentes mentem para os pais a respeito de fazer sexo. Dê o nome que quiser – são todas mentiras.

Só os inimigos dizem a verdade. Amigos e amantes, apanhados na teia da obrigação, mentem sem parar.

STEPHEN KING

Nós mentimos por duas razões: obter um ganho ou evitar uma dor. Felizmente, a maioria das pessoas sente culpa, remorso ou desconforto quando mente, e isso não é muito fácil de esconder, o que torna possível a uma pessoa saber se o outro está falando a verdade, ou se está mentindo. Com um pouco de prática se reconhecem os sinais comportamentais da mentira e se aprende a decodificá-los.

Estudo de caso: Sheelagh e Dennis

Sheelagh foi convidada por Dennis para jantar na casa dele e resolveu caprichar para impressioná-lo. Foi ao cabeleireiro fazer luzes no cabelo, maquiou-se cuidadosamente, escolheu um vestido sexy, calçou sapatos de salto alto, pôs um par de longos brincos e um pouco de perfume francês atrás das orelhas. Quando chegou, ficou impressionada com a forma como Dennis arrumara o cenário para a noite: meia-luz, uma suave música de fundo e lareira acesa. Ao entrar na sala de jantar, ele a presenteou com um belo ramo de flores e conduziu-a até a mesa, iluminada com velas, onde lhe serviu uma taça de champanhe. Ao sentar-se, gloriosa, ela percebeu que ele estava usando a loção de barba que ela lhe dissera que gostava. Todos os seus sentidos – visão, audição, tato e olfato – estavam excitados no mais alto grau. Ficaram conversando um pouco sobre o trabalho dela e os acontecimentos do dia. Dennis ouvia atentamente, sorrindo, olhando-a nos olhos e incentivando-a a falar. Sheelagh se sentia completamente arrebatada por esse homem atencioso e sensível – tão diferente dos outros que ela conhecera. E supôs que ele sentia exatamente o mesmo em relação a ela.

Em linguagem educada, este cenário é chamado de um

romântico jantar à luz de velas. Mas na realidade trata-se de uma completa fabricação de meias mentiras dos dois lados para tentar obter vantagens pessoais. Champanhe, meia-luz e música suave não faziam parte normalmente do estilo de vida de Dennis e o tema usual de sua conversa era esporte. Toda essa montagem era um refinado ardil. Dennis queria sexo. Sexo livre, sem inibições. E tinha experiência suficiente para saber que montando o cenário do jeito que montara, a chance de obter de Sheelagh o que queria seria muito maior.

Sheelagh, por sua vez, se enfeitou, se arrumou e comportou-se pensando apenas em estimular a parte sexual do cérebro de Dennis, elevar-lhe o nível de testosterona. Mas pode-se dizer que tudo o que disseram e fizeram naquela noite foi em busca de benefício pessoal. A noite toda, em resumo, foi baseada em mentiras e enganos. Mas se fossem confrontados com essa verdade elementar, ambos negariam, é claro, e veementemente.

Tipos de mentiras

Existem quatro tipos básicos de mentiras – a Mentira Branda, a Mentira Benéfica, a Mentira Maliciosa e a Mentira Dolosa. Como já dissemos, a Mentira Branda faz parte de nosso tecido social e nos impede de nos ferirmos e insultarmos uns aos outros com a verdade dura, fria e dolorosa. A Mentira Benéfica é usada pelas pessoas com a intenção de ajudar. É o caso do fazendeiro alemão que escondia judeus dos nazistas e o negava para as autoridades. Ele estava mentindo heroicamente. O bombeiro que resgata uma criança de uma casa em chamas e mente para ela dizendo que seus pais estão bem está protegendo-a por algum tempo de sofrer um trauma ainda maior. O médico que mente ao paciente no leito de morte para elevar-lhe o ânimo, ou que lhe receita medicamentos inócuos – placebos – tecnicamente está mentindo.

*As pesquisas mostram que 30-40%
dos pacientes obtêm alívio com placebos*

A mentira dolosa é a mais perigosa, porque a intenção do mentiroso nesse caso é ferir ou tirar vantagem da vítima em benefício próprio. Uma conhecida nossa, Gerri, era mãe solteira, saía pouco, e quando conheceu um homem que lhe pareceu terno, sensível, inteligente, divertido e que se interessou por ela, ficou encantada. Ao contar para sua amiga Margie que estava saindo com aquele homem, ouviu, desolada, que ele era um notório conquistador, uma pessoa em quem não se podia confiar. Gerri passou então a evitá-lo. Um mês depois, ela dá de cara com ele no shopping center do bairro – abraçado com a sorridente Margie.

A mentira dolosa tem duas formas principais: ocultação e falsificação. Na ocultação, o mentiroso não conta propriamente uma mentira, ele sonega informação. Digamos, por exemplo, que Gerri acabasse descobrindo, através de outra amiga, que, de fato, esse homem enganara uma ex-namorada, fazendo-a avalista de um empréstimo e dando-lhe o calote. Ninguém poderia culpar Gerri por não avisar Margie, pois Margie talvez não acreditasse; mas se Gerri tomasse a decisão de não alertá-la seria também culpada de mentir, desta vez por uma ato de ocultação.

Na falsificação, uma informação inverídica é apresentada como verdadeira. Margie deu a Gerri informações falsas sobre o caráter de um homem, visando tirá-lo da rival. Este tipo de mentira é um ato intencional, jamais um acidente.

Mentiras maliciosas são motivadas por vingança ou para obter vantagens. Pessoas em evidência como atores, ricaços e políticos são os principais alvos das mentiras maliciosas. Os jornalistas que oferecem as histórias aos jornais e revistas sensacionalistas, mesmo sabendo que são inverídicas, também se beneficiam tanto quanto os rivais das pessoas atingidas no mundo artístico, dos negócios e da política.

A mentira maliciosa e a dolosa costumam ser usadas como armas em situações competitivas. Pessoas que as inventam pretendem destruir o caráter e a reputação de suas vítimas, com resultados que podem ser arrasadores e duradouros.

Uma empresa, por exemplo, pode espalhar a falsa informação de que sua principal concorrente está em dificuldades financeiras. De modo similar, não é incomum um político divulgar rumores de que um adversário seu tem um comportamento sexual impróprio.

Um casal teve a sua escola e sua reputação destruídas porque se espalhou o boato de que molestavam sexualmente os alunos. Quando a verdade foi restabelecida, era tarde, porque o dano fora enorme.

Tipos de mentirosos

"Mentirosos naturais" são pessoas que têm plena consciência e confiança em sua capacidade de enganar, e o fazem desde pequenos. Em geral, foram os próprios pais que lhes ensinaram a mentir, para evitar as terríveis punições que seriam aplicadas se dissessem a verdade. Muitos mentirosos naturais tiram partido dessa capacidade na idade adulta tornando-se advogados criminais, vendedores, negociantes, atores, políticos e espiões.

O "mentiroso não-natural" é a pessoa que, quando criança, foi convencida pelos pais de que era impossível mentir, porque seria fatalmente descoberta. Essas pobres criaturas passam a vida dizendo indiscriminadamente a verdade a respeito de tudo, repetindo que "eu nunca mentiria", irritando, ofendendo e criando problemas para todas as pessoas que conhecem.

A verdade vai libertá-lo, mas primeiro ela vai ferrar você.

MAL PANCOAST

Um dos mentirosos mais perigosos que uma mulher pode encontrar pelo caminho é o Romântico. Quando um Mentiroso

Romântico entra em ação, a mulher geralmente não faz a menor idéia do que está acontecendo. Alguns Mentirosos Românticos são especialistas em esconder que são casados, enquanto outros são mestres em posar de advogados, médicos e homens de negócios bem-sucedidos para angariar respeito e interesse sexual. Para esses mentirosos, o único limite é a própria imaginação. Em conseqüência, eles podem causar às mulheres enormes danos emocionais, psicológicos e financeiros. O objetivo mais comum do Mentiroso Romântico é arrancar dinheiro, sexo e outros benefícios da mulher, fingindo dar em troca amor e emoção.

Os consultórios dos terapeutas estão cheios de mulheres inteligentes e cheias de recursos vítimas de um Mentiroso Romântico. Algumas reincidem neste tipo de experiência, parecendo nada aprender com o que sofreram. O dano emocional e a perda de auto-estima costumam superar em muito as perdas materiais nesses casos e podem deixar a mulher emocionalmente marcada: dificilmente ela voltará a acreditar em algum homem.

Mentirosos Românticos podem aparecer em qualquer lugar e se dão bem nos bate-papos da Internet, onde a maioria das pessoas mente e qualquer coisa vale. Mesmo mulheres inteligentes se deixam enganar por um Mentiroso Romântico, pois o seu maior talento é a capacidade de viver uma mentira plausível tempo suficiente para que a sua vítima se apaixone. Ela fica cega para as mentiras ou as nega, mesmo quando são evidentes para parentes e amigos.

As pessoas dizem gostar da verdade, mas o que elas querem mesmo é acreditar que gostam da verdade.

Se você dirigisse o departamento de pessoal de uma grande empresa, iria querer saber o máximo possível sobre uma pessoa que se candidatasse a um posto de confiança, não é verdade? Por que não fazer o mesmo com um candidato a parceiro? O conselho aqui é: verifique sempre o histórico de qualquer produto que você pretenda conservar por muito tempo. Pode ser doloroso descobrir seus defeitos, mas vai poupar-lhe um sofrimento muitíssimo maior a longo prazo.

Quem mente mais?

A maioria das mulheres há de afirmar categoricamente que os homens mentem muito mais freqüentemente do que elas. Estudos e experiências científicas mostram, porém, que homens e mulheres mentem em igual proporção. O que varia é o conteúdo da mentira. As mulheres, de modo geral, tendem a mentir para fazer com que os outros se sintam melhor, e os homens para se fazer de bons. As mulheres mentem para manter o relacionamento a salvo e têm muita dificuldade em mentir sobre os seus sentimentos. Os homens mentem para evitar discussões e para se afirmar. Num caso extremo, um homem é capaz de dizer que é vice-diretor de distribuição de uma multinacional de alimentos quando na verdade tem um negócio de entregas de pizza a domicílio.

A mulher mente para fazer o homem se sentir bem.
O homem mente para se fazer de bom.

Esta é a principal diferença entre mentiras masculinas e femininas. A mulher mente dizendo que determinada roupa ficou maravilhosa em alguém, mesmo achando que a pessoa ficou parecendo um saco de batatas. Nas mesmas circunstâncias, o homem se afasta para não ter de mentir, e só o fará se for forçado a emitir sua opinião. Ele dirá que a roupa é "interessante", dirá uma mentira indireta como "Eu não sei o que dizer", ou mentirá simplesmente dizendo que adorou. E nesses casos, quando o homem mente, a maioria das mulheres sabe muito bem que ele está mentindo.

A principal pergunta dos homens que faz as mulheres mentirem é: "Que tal, foi bom?"

A forma de mentira mais comum é o auto-engano, como fumar dois maços de cigarro por dia repetindo que não é viciado e pode parar quando quiser, ou convencer-se de que uma sobremesa calórica não prejudica o regime.

As evidências são claras – as mulheres mentem tanto quanto os homens, mas mentem diferente. Devido à exacerbada percepção feminina para a linguagem corporal e os signos vocais, os homens são apanhados com muito mais freqüência, o que deixa a impressão de que mentem mais. Eles não mentem mais. Eles apenas continuam sendo apanhados.

Mentiras comuns que os homens contam às mulheres

"Eu não estou bêbado" é uma mentira fácil de pegar, sobretudo porque geralmente soa "Eooo num xtô bêbadu". Não há nenhuma razão para uma pessoa dizer que não está bêbada – exceto estar realmente bêbada.

"De uma vez por todas, eu nunca transei com essa mulher." O homem que traiu mentirá a respeito até muito além de qualquer evidência porque, na sua cabeça, não tem nada a ganhar dizendo a verdade. Chegará mesmo a ficar agressivo, como se estivesse profundamente ofendido, para defender-se da acusação da mulher.

"O sexo com minha ex era uma droga." Sexo é uma das constantes da vida do homem – ele é sempre bom, não importa onde nem quando. Se um homem diz que o sexo com a ex era uma droga, é muitíssimo provável que ele esteja mentindo. E se diz que sexo com a ex era melhor do que com você, está mentindo também, provavelmente para lhe deixar irada.

"Ela só é minha amiga. Que mal há nisso?" Ele diz que ela é amiga de infância e que não tem nenhum outro interesse nela.

Mas a mantém longe de você e não a deixa conhecê-la. Outras variantes incluem: "Ela é lésbica; ela só está precisando de um amigo para conversar; ela está passando por uma situação difícil e eu quero ajudar; ela está doente e quer que eu vá visitá-la; ela não sente nada por mim; ela precisa me contar uma coisa muito confidencial, por isso não quero que você vá almoçar conosco."

Por que as mentiras não colam?

A maioria das mentiras pode ser detectada porque, em geral, envolvem emoções que piscam como luzes vermelhas verbais ou visuais. Quanto maior a mentira e quanto mais emoções envolvidas, mais pistas serão deixadas pelo mentiroso. Tentar disfarçar essas pistas cria um problema emocional para a maioria de nós. Quanto mais próximo de uma pessoa, mais difícil é mentir para ela por causa das emoções em jogo. Um marido tem dificuldade de mentir para a mulher se ele realmente a ama, mas não terá a menor dificuldade de mentir para o inimigo se for capturado na guerra. Aqui está a chave para o mentiroso patológico: ele não tem ligação emocional com ninguém, portanto, toda mentira é fácil.

Se você enxerga ou não essas pistas, é outro problema.

Por que as mulheres são tão boas em pegar mentiras?

A maioria dos homens sabe como é difícil contar até mesmo uma pequena mentira para uma mulher, cara a cara, sem ser apanhado. Se o homem quer mentir para a mulher, é melhor que o faça pelo telefone. A maioria das mulheres tem menos dificuldade de mentir na cara do homem – em geral elas conseguem se dar bem.

Exames de ressonância magnética cerebral revelam que a mulher tem de 14 a 16 pontos-chaves nos dois hemisférios quando se comunica cara a cara. Esses pontos são usados para decodificar palavras, sinais corporais e mudanças no tom de voz, e respondem em larga medida por aquilo que é conhecido como "intuição feminina". O homem tem, em média, de 4 a 7 desses pontos, porque o seu cérebro desenvolveu-se mais para tarefas espaciais do que para a comunicação.

A "hipersensibilidade" feminina tem dois propósitos: defender seu território contra estranhos e comunicar-se com os filhos. A mulher precisa ter capacidade de olhar para a sua ninhada e identificar imediatamente a dor, o medo, a fome, a doença, a tristeza e a alegria. Precisa ser capaz de avaliar rapidamente a atitude das pessoas que se aproximam de seu ninho – se amistosa ou agressiva. Sem essas técnicas de sobrevivência, ela fica vulnerável, corre perigo. Pelas mesmas razões, a mulher é capaz de ler as emoções dos animais. Ela sabe dizer se um cachorro está feliz, triste, zangado ou constrangido. A maioria dos homens nem imagina que cara tem um cão constrangido. O objetivo do homem caçador sempre foi atingir o seu alvo com precisão e não conversar com ele, aconselhá-lo ou tentar compreendê-lo.

O homem precisa atingir o seu alvo com precisão e não ter com ele uma conversa profunda e cheia de significado.

Como já dissemos, o cérebro da mulher está organizado em múltiplas trilhas, de modo que ela pode lidar com várias informações ao mesmo tempo. Isso lhe dá a vantagem adicional de saber ler os sinais corporais e ouvir o que está sendo dito enquanto fala. O homem, com seu cérebro de trilha única, recebe uma informação de cada vez e deixa passar, portanto, muitos sinais corporais.

Os agentes do FBI aprendem a analisar "microexpressões" – as expressões sutis, fugazes, com duração de uma fração de segundo, das pessoas que estão mentindo. Para isso utilizam a câmara lenta. Observou-se, por exemplo, que Bill Clinton franzia o cenho durante uma fração de segundo antes de responder qualquer pergunta sobre Monica Lewinsky. O cérebro da mulher está programado para ler esses sinais quando eles acontecem, o que explica não apenas por que elas são muito mais difíceis de enganar, mas também por que se revelam muitas vezes negociadoras mais perceptivas que os homens.

Por que as mulheres sempre lembram?

Erik Everhart, professor assistente de psicologia da East Carolina University, e seus colegas da State University of New York, em Buffalo, descobriram que meninos e meninas dos 8 aos 11 anos de idade usam partes diferentes de seus cérebros para identificar rostos e expressões. Os meninos usam mais o lado direito, e as meninas, mais o lado esquerdo. Descobriram que essa diferença ajuda as meninas a detectarem mudanças sutis das expressões faciais, tornando-as mais aptas a perceber o estado de ânimo das pessoas. Ler a boca e olhos de alguém exige uma análise mais refinada do que julgar as emoções do rosto inteiro.

As mulheres são muito boas em lembrar qual foi a mentira que contaram e a quem contaram, ao passo que os homens geralmente esquecem suas mentiras. O hipocampo – a parte do cérebro usada na linguagem e no armazenamento e recuperação da memória – está cheio de receptores de estrogênio e cresce mais rapidamente nas meninas do que nos meninos, dando às mulheres maior capacidade de recuperação de lembranças de assuntos carregados de emoção.

Conselho aos homens

Não perca tempo contando uma mentira para uma mulher cara a cara. É muito difícil. Se for mesmo preciso, telefone para ela ou envie-lhe um e-mail. As mulheres não apenas têm maior capacidade de descobrir mentiras como têm maior capacidade de guardá-las como munição para discussões futuras.

Os jovens são mais propensos a mentir, burlar, roubar

Quanto mais jovem a pessoa, mais propensa a enganar. Nos Estados Unidos, uma pesquisa do ano de 2002, com cerca de nove mil adolescentes e adultos de todas as partes do país, mostrou que um número significativo de pessoas na faixa de 15 a 30 anos é propenso a mentir, burlar e roubar.

Foram pesquisados 3.243 alunos de escola secundária, 3.630 universitários e 2.092 adultos.

Cerca de 33% dos secundaristas e 16% dos universitários admitiram ter roubado mercadorias de alguma loja no ano anterior. Um terço dos estudantes de cada grupo se disseram propensos a colocar mentiras no curriculum vitae, nos formulários e nas entrevistas de emprego para conseguir o que querem, e 16% dos secundaristas disseram que já o haviam feito pelo menos uma vez.

Sessenta e um por cento dos secundaristas e 32% dos universitários admitiram ter burlado as provas pelo menos uma vez no ano anterior.

"Eu posso me encrencar por uma coisa que não fiz?", perguntou o aluno. "Não", respondeu o diretor. "Ótimo, porque não fiz o dever de casa."

A pesquisa apurou que 83% dos secundaristas e 61% dos universitários mentiram para os pais durante o ano anterior.

Os pesquisadores descobriram que a desonestidade e outros comportamentos antiéticos eram menos freqüentes entre pessoas de mais de 30 anos e que os dois sexos mentiam em igual proporção.

O mais perturbador foi que 73% dos pesquisados na faixa de 15 a 30 anos disseram acreditar que "a maioria das pessoas enganam ou mentem quando é necessário para conseguir o que querem".

Com base nesse estudo, se poderia dizer que os americanos são um bando de mentirosos e fraudadores, mas estudos semelhantes realizados em todo o Ocidente mostram a mesma tendência.

Infelizmente, isso são sintomas de uma grande crise moral que grassa em todas as sociedades, sintomas que refletem uma real mudança de valores nessas sociedades. Os filhos ouvem dos pais que a honestidade é a melhor virtude, mas os vêem subornar o guarda de trânsito, adular pessoas de que não gostam, dar desculpas mentirosas para justificar uma falta ou cancelar um compromisso. É diferente do que serem instruídos para fingir que gostaram dos presentes que ganharam ou darem um beijo na tia chata que vai visitá-los. Nesses casos, trata-se de um dever de gentileza e de mera educação.

O pai se aproxima dos filhos que discutem acaloradamente ao lado de um cachorrinho.

"Qual é a razão da briga?", pergunta o pai.

"Estamos fazendo um concurso", respondem os meninos. "Quem contar a maior mentira ganha o cachorro."

"Que coisa feia!", reage o pai. "Eu nunca menti!"

Os meninos se põem a chorar, desolados: "Papai, você ganhou o cachorro!"

As mensagens ambíguas sobre a mentira que as crianças recebem têm grande impacto sobre o seu comportamento quando crescem. A maioria dos pais não percebe, por exemplo, que a severidade das punições é um dos maiores estímulos à mentira e uma das principais razões de as crianças crescerem como contumazes mentirosos. Boa parte dos padrões comportamentais mentirosos se fixa durante a infância e a juventude, e na idade adulta são acionados por figuras de autoridade.

Quando todos os seus conhecidos mentem para você

Há quem acredite que não se deve confiar em ninguém e que o mundo está cheiro de mentirosos. As pessoas acham isso por duas razões: primeiro, como elas próprias são mentirosas habituais, assumem que todas as outras pessoas também são. A segunda razão, mais provável, é de que o comportamento dessas pessoas faz com que os outros mintam para elas. Quando alguém reage ao que se diz de maneira agressiva e emocional, praticamente obriga os outros a mentir. Se as pessoas sabem que você fica irado, excessivamente magoado ou vingativo quando ouve a verdade, vão evitar dizê-la a todo custo. Se você é uma pessoa que se ofende com facilidade, nunca saberá o que os outros estão realmente pensando ou sentindo a seu respeito, porque eles vão distorcer a verdade para evitar a sua reação. Se você pede às crianças que lhe digam a verdade e depois as pune porque a verdade não está de acordo com sua expectativa, as está ensinando a mentir para se protegerem.

Por que as mentiras de amigos e familiares doem mais

Quanto mais íntimo o relacionamento, mais sofrimento lhe causará uma mentira, porque o sentimento de traição é mais profundo e você não quer eliminar essa pessoa da sua vida. Uma mentira dolosa contada pelo marido, mulher, pai, mãe, irmão ou irmã fere mais fundo porque, quanto mais próxima a pessoa, mais confiança depositamos nela, mais nos abrimos para ela. Uma mentira contada por um irmão, irmã ou filho fere mais do que a contada por um conhecido, mas tende a ser perdoada, porque a pessoa não deixará de ser nosso irmão, irmã ou filho. A mentira de um amigo íntimo também fere, mas essa pessoa pode ser eliminada de nossa vida, ao menos por um tempo, simplesmente deixando de procurá-la. No outro extremo, como sabemos que, em princípio, o vendedor de carros usados irá mentir para nós, não nos surpreendemos com isso e podemos optar por não vê-lo nunca mais.

Pistas para desmascarar o mentiroso

Como as pessoas se sentem desconfortáveis com a mentira, elas instintivamente procuram se distanciar delas. O FBI descobriu recentemente esta valiosa pista, analisando as palavras de suspeitos que apresentavam álibis falsos. Os mentirosos deixavam fora de suas mentiras as referências a eles mesmos e evitavam usar a palavra "eu". Considere o exemplo de uma pessoa que combina se encontrar com você e não aparece. Se mais tarde ela o procura e diz "Meu carro quebrou e o celular estava sem bateria", você desconfia mais instintivamente do que se ela dissesse "Meu carro quebrou e *eu* não pude ligar para você porque a bateria do celular estava fraca". Os mentirosos evitam também usar o nome da pessoa envolvida na mentira. Eles preferem dizer "Eu não transei com essa mulher" do que "Eu não transei com a Mônica".

Mentirosos não hesitam

Pergunte a uma pessoa o que ela fez no último fim de semana e ela provavelmente vai pensar um pouco antes de dizer algo como: "Ah... eu fui na casa do meu irmão depois de tomar café e depois... aah... não, eu vi meu irmão depois do almoço, porque antes tive de ir pegar meu carro na oficina..."

Ao recordar os acontecimentos do dia, as pessoas geralmente se interrompem e mudam de direção para tentar colocar as coisas na ordem certa.

Mas o mentiroso habitual não hesita nem se esquece. Ele ensaiou sua mentira na cabeça muitas vezes e em geral é capaz de um desempenho sem erros. Seu *script* é perfeitamente decorado e raramente ele se engana.

Quem faz uma vez faz duas

Se você acha que uma pessoa está mentindo, aja como se acreditasse em cada palavra. No final ela vai se trair por excesso de confiança no próprio desempenho. Peça ao mentiroso para repetir aquilo que você acha ser uma mentira. Bons mentirosos são capazes de dar uma segunda versão idêntica. Conceda então uma pausa ao suspeito para deixá-lo pensar que se safou, depois peça-lhe que repita uma terceira vez. Como ele não espera mais este repeteco e está relaxado, geralmente a terceira resposta não é exata e a história parece um pouco diferente. Além disso, devido ao estresse associado à mentira, a voz do mentiroso fica mais aguda.

Como ler as entrelinhas do que é dito

Você já conversou com uma pessoa que parece menos convincente à medida que fala?

Examinemos algumas palavras e frases comuns, indicativas de que a pessoa pode estar tentando camuflar a verdade ou convencer você de uma emoção que ela não sente. As palavras "honestamente", "sinceramente" e "francamente" indicam que o orador deve ser consideravelmente menos franco, honesto e sincero do que afirma e podem ser sinal de que ele está mentindo. Por exemplo: "Francamente, isso é o melhor que eu posso lhe oferecer" se traduz às vezes como "Talvez não seja o melhor que eu tenha para lhe oferecer, mas quem sabe você acredita?". "Eu te amo" é mais fácil de acreditar do que "Sinceramente, eu te amo!". "Sem dúvida" dá motivo para duvidar e "Sem sombra de dúvida" é definitivamente um sinal de alerta.

"Acredite no que eu estou lhe dizendo" pode significar "Se eu conseguir fazer você acreditar em mim, você fará o que eu quero". A força com que a pessoa que diz "Acredite em mim" tenta convencer o outro é proporcional ao tamanho do engodo. Ao sentir que você não está acreditando nele, ou que o que ele está dizendo não é digno de crédito, o orador introduz a sua observação com um "Acredite em mim". "Eu não estou brincando" e "Eu iria mentir para você?" são outras versões.

Quem está sendo honesto, franco, confiável e digno de crédito não precisa convencer o outro disso.

No entanto, algumas pessoas honestas têm o hábito de usar repetidamente essas palavras. Fazem isso inconscientemente ao introduzir uma declaração verdadeira, que passa a soar falsa. Preste atenção em seu discurso para ver se você usa freqüentemente essas palavras e, em caso positivo, procure eliminá-las para não correr o risco de gerar desconfiança.

"Está entendendo?" ou "Você compreende?" no fim da frase são manias irritantes, porque dão a impressão de que o ouvinte é incapaz, além de obrigá-lo a responder "Estou" a cada interpelação. Há pessoas que exclamam "Mentira!" quando ouvem algum fato que lhes parece extraordinário, sem querer dizer com isso que não acreditam no que está sendo narrado. Mas nem sempre quem contou entende assim. Uma amiga minha foi expulsa da sala de aula na faculdade ao reagir com um "Mentira!" à afirmação do professor de ciências religiosas de que havia mais de mil santuários onde a Virgem Maria operava milagres. Ela se defendeu, dizendo que estava apenas expressando espanto, mas no fundo achava mesmo que era mentira.

"Só" e "apenas"

Os termos "só" e "apenas" são usados para minimizar o significado das palavras que vêm em seguida, para aliviar a culpa do orador ou para culpar o outro por alguma conseqüência desagradável. "Só vou tomar cinco minutos do seu tempo" é usado por quem vai alugar você durante uma hora inteira. Se a pessoa diz "Você me dá cinco minutos?" e você concorda, estabelece-se um contrato mais nítido que lhe dá a possibilidade de interromper a conversa passado o tempo estipulado. "Apenas R$ 9,95" e "Só R$ 40,00 de entrada" são usados para convencer o consumidor de que o preço cobrado é insignificante. "Eu sou apenas um ser humano" é o lema de quem não quer assumir responsabilidade por seus erros. "Eu só queria dizer que te amo" mascara a necessidade que tem o tímido apaixonado de dizer "Eu te amo". E nenhuma mulher acredita no homem que diz "Ela é só uma amiga".

Quando você ouvir alguém dizer "só" e "apenas", deve pensar no motivo pelo qual a pessoa tenta minimizar a importância do que está dizendo. Será que lhe falta confiança para afirmar o que sente? Estará tentando enganar você? Ou está querendo escapar de suas responsabilidades? É claro que não se trata de uma regra geral, mas convém prestar atenção quando ouvir "só" e "apenas".

Eis aqui uma lista de expressões comumente usadas por pessoas que querem convencer de que falam a verdade, quando na realidade querem forçar você a acreditar no que elas estão dizendo. Lembre-se, porém, que uma frase isolada não é prova de desonestidade: ela deve ser interpretada em seu contexto.

- "Confie em mim."
- "Eu não tenho nenhum motivo para mentir."
- "Falando francamente."
- "Estou lhe dizendo a verdade."
- "Por que eu iria mentir?"
- "Para ser absolutamente franco/honesto/sincero com você."
- "Você acha que eu seria capaz de fazer uma coisa dessas?"

Algumas pessoas tentam usar a organização à qual pertencem, alguma honraria recebida ou as tradições de sua família para convencer você da sua honestidade. Talvez você reconheça algumas dessas frases:

- "Não pertenço a esse tipo de pessoas."
- "Eu jamais me passaria por uma coisa dessas."
- "Como membro de..."

Pode também ser uma questão de insegurança, mas o fato é que pessoas de caráter não precisam viver provando suas virtudes. Elas vivem os seus valores de uma forma que se torna visível e que lhes dá credibilidade. Respostas como essas são dadas quando a pessoa está se defendendo e não quer responder diretamente a uma pergunta.

Pegando mentirosos com o computador

Os progressos da tecnologia da computação produziram três maneiras interessantes de detectar mentirosos. O polígrafo, aparelho que mede a respiração, o pulso e o volume relativo do sangue, é o mais conhecido detector de mentiras. Quando a pessoa está querendo enganar, a mentira é detectada por meio dos efeitos fisiológicos que se manifestam, como o aumento ou diminuição dos batimentos cardíacos, da pressão sangüínea, da respiração e da perspiração. Quando a pessoa fala a verdade, nenhuma mudança ocorre nesses indicadores. Pesquisas recentes mostram que a precisão do novo polígrafo computadorizado é próxima de 100%. Essas máquinas podem hoje ser vistas em programas de entrevistas da TV americana em que os convidados tentam provar a culpa, a inocência ou a fidelidade de seus parceiros.

O polígrafo ainda não é aceito como prova em juízo, exceto quando determinado pelo juiz. Mentirosos experimentados demonstram menos ansiedade que os novatos e são capazes às vezes de passar no teste do polígrafo, enquanto pessoas honestas podem ficar intimidadas e acabar classificadas como mentirosas. Há também entre as pessoas diferenças fisiológicas que podem ser fonte de erros no teste do polígrafo.

Prestando atenção às pistas vocais

São três as características da voz capazes de entregar o mentiroso – altura, velocidade e volume. Quando a pessoa está em situação de estresse, a tensão causa um aperto nas cordas vocais que torna a voz esganiçada e pode aumentar sua velocidade e volume. Estudos mostram que 70% das pessoas elevam o diapasão da voz quando estão mentindo. Inversamente, o mentiroso que calcula a mentira para ter certeza de sua eficácia, fala mais devagar e diminui o volume da voz. Quando uma pessoa é apanhada distorcendo a verdade, sua fala tende a ser salpicada de uhms, ahs, ers, gaguejos e pausas, porque não houve tempo suficiente para ensaiar a mentira. Isso é mais perceptível nos homens que nas mulheres, porque eles têm o cérebro menos equipado para o controle da linguagem.

Quando a pessoa balbucia uma resposta a uma pergunta direta, desconfie.

Tenha sempre em mente que esses sinais não são garantias de que a pessoa está mentindo; eles mostram que ela está experimentando algum tipo de estresse. Há pessoas que mentem confortavelmente, sem exibir demasiados sinais relacionados ao estresse, e outras, como políticos e fanáticos religiosos, que, por acreditarem em suas mentiras, também não exibem sinais de fraude. Mas a maioria dos mentirosos dá muitos sinais, a maior parte do tempo.

Interpretando a linguagem corporal

Em nosso livro *A Linguagem do Corpo* mostramos que os sinais corporais respondem por mais de 60% das mensagens trocadas entre as pessoas. No livro, falamos extensamente do assunto, porém há alguns sinais que você pode observar quando uma pessoa está mentindo. Tanto os homens quanto as mulheres levam muito mais a mão ao rosto quando estão em dúvida, se sentem inseguros, exageram ou mentem. Os gestos masculinos são mais fáceis de perceber porque são mais amplos e freqüentes: esfregar os olhos e o nariz, puxar a orelha e levar a mão ao pescoço. Observou-se, por exemplo, que Bill Clinton tocou o nariz e o rosto 26 vezes quando respondeu perguntas sobre Monica Lewinsky diante do Grande Júri.

Interprete o conjunto

Nunca interprete um gesto isoladamente. Quando uma pessoa esfrega o olho, pode ser coceira, irritação ou cansaço. Quando se trata de mentira, em geral há pelo menos três sinais. Se uma pessoa esfrega os olhos, puxa a orelha, coça o pescoço, leva os dedos à boca ou esfrega o nariz, nada garante que esteja mentindo, mas há algo que ela não está dizendo, e é provável que esteja escondendo alguma coisa. Se ela toca no rosto várias vezes e ao mesmo tempo diz "confie em mim", "acredite em mim", "para ser honesto", é razoável supor que você esteja ouvindo uma mentira.

Sorriso

Homens e mulheres sorriem da mesma forma quando mentem e quando dizem a verdade. O sorriso que acompanha uma afirmação verdadeira, porém, costuma ser rápido e simétrico – o lado esquerdo do rosto espelha o lado direito. O sorriso falso é em geral lento e assimétrico. Quando as pessoas tentam mostrar emoções que não sentem, suas expressões faciais são assimétricas. Em outras palavras, seu sorriso é meio torto.

Está nos olhos

Você provavelmente aprendeu a acreditar que o mentiroso nunca olha nos olhos. Isto é verdade para crianças educadas na cultura ocidental e européia. As mães lhes diziam: "Eu sei que você está mentindo porque não consegue olhar nos meus olhos." Em culturas onde manter contato visual prolongado é considerado uma atitude mal-educada e agressiva, essa regra não se aplica. Além disso, mentirosos experientes sabem manter contato visual quando mentem, sem maior dificuldade. É importante observar se os olhos piscam com mais freqüência – sinal de tensão crescente e de ressecamento do globo ocular, resultante do contato visual forçado.

A direção para onde se move o olho da pessoa quando você lhe faz uma pergunta pode também ajudá-lo a identificar um mentiroso, porque mostra qual parte do cérebro ele está usando, e é um sinal quase impossível de disfarçar. Os destros, quando relembram um acontecimento real, acionam o lado esquerdo do cérebro e geralmente olham para a direita; e quando inventam uma história, acionam o lado direito do cérebro e olham para a esquerda. Em termos simples, mentirosos destros olham para a esquerda, mentirosos canhotos olham para a direita. Essa observação não é isenta de erros, mas é um forte indício de tapeação.

Sinais que denunciam a mentira nos homens

1. Fazer movimentos faciais involuntários. O cérebro tenta impedir que o rosto dê informações.
2. Não manter contato visual. Os olhos dele fitam o vazio. Se a sala tem uma porta, é para onde ele vai olhar.

3. Cruzar os braços ou as pernas. Trata-se de um instinto de defesa.
4. Sorrir com os lábios fechados. É o sorriso forçado usado por ambos os sexos para fingir sinceridade.
5. Estreitar as pupilas
6. Falar rapidamente. Mentirosos querem acabar logo com a conversa.
7. Balançar a cabeça indicando "não" quando responde "sim" e vice-versa.
8. Esconder as mãos. Os homens acham mais fácil mentir com as mãos nos bolsos.
9. Pronunciar mal ou balbuciar as palavras. Um mentiroso acha que fazendo assim não está mentindo.
10. Rir exageradamente e demonstrar cordialidade. Ele quer fazer você gostar dele para acreditar nele.

Como não ser vítima de mentiras

1. Sente-se na cadeira mais alta. É uma forma sutil de intimidação.
2. Descruze as pernas, abra os braços e incline-se para trás. "Abra-se" para a verdade.
3. Nunca lhe diga o que você REALMENTE sabe – não demonstre que você sabe que ele está mentindo.
4. Invada o espaço pessoal dele. Se você chegar perto, ele se sentirá desconfortável.
5. Imite a postura e os movimentos dele para estabelecer uma comunicação e tornar mais difícil para ele mentir para você.
6. Dê a ele uma "saída". Procure tornar fácil para ele dizer a verdade. Finja que não escutou direito ou diga que não entendeu o que ele disse. Deixe sempre uma saída para ele voltar atrás e contar a verdade.
7. Fique calma. Não demonstre espanto nem surpresa. Se você reagir negativamente ou com muita ênfase, perderá a chance de ficar sabendo a verdade.

8. Não acuse. Perguntas agressivas como "Por que você não me telefonou?" e "Você está saindo com alguém?" podem fazer com que o mentiroso se aferre à sua posição e não melhorará em nada seu relacionamento com ele.
9. Use a técnica do *eu*: "*Eu* senti falta do seu telefonema", "*Eu* fico triste quando penso que você está saindo com outra mulher". Neste último caso, é bem possível que ele continue negando, mas registrará o sofrimento que sua atitude causa a você.
10. Dê-lhe uma última chance. Ignore a mentira e diga "O que podemos fazer para que isso não aconteça mais?". Se ele achar que você o deixou escapar do anzol, o mais provável é que confesse tudo e, na pior das hipóteses, que encontre uma solução para não ter que recorrer à mentira novamente.

Por fim, pedimos às nossas leitoras que nos enviassem as frases que escutam dos homens quando eles escondem o que realmente querem:

Um dicionário dos padrões de linguagem masculina

O que ele diz – a mentira	O que ele quer dizer – a verdade
1. "Minha carteira sumiu..."	"Não consigo ver, não passou pelas minhas mãos, portanto alguém deve ter pego."
2. "É coisa de homem."	"Você não entende dessas coisas, o homem tem direito a coisas que a mulher não tem, há uma permissão universal para este meu comportamento."
3. "Posso ajudar a fazer o jantar?"	"Por que é que o jantar não está na mesa?"
4. "Estou cansado de tanto andar."	"O controle remoto está sem bateria."
5. "Vamos chegar atrasados."	"Eu tenho um bom motivo para dirigir feito um louco."
6. "Dá um tempo, querida, você está trabalhando demais."	"Eu não consigo ouvir a televisão com esse aspirador de pó ligado."

7. "Que coisa interessante..."	"Você ainda está falando?"
8. "Não precisamos de coisas materiais para provar o nosso amor."	"Eu esqueci o nosso aniversário de casamento outra vez."
9. "O filme foi realmente bom."	"Tem muita violência e mulher pelada."
10. "Você sabe como a minha memória é ruim."	"Eu lembro o número da placa de todos os carros que já tive, os nomes de todas as minhas namoradas, os times das Copas do Mundo, mas esqueci o seu aniversário."
11. "Eu estive pensando em você e lhe trouxe estas flores."	"A florista da esquina era linda e sedutora e conseguiu me convencer."
12. "Chame uma ambulância! Acho que estou morrendo."	"Cortei o dedo."
13. "Ouvi tudo o que você disse."	"Não tenho a menor idéia do que você acabou de dizer, mas, pelo amor de Deus, pára de falar!"
14. "Você está o máximo com esse vestido."	"Por favor, não experimente mais nenhum vestido, estou morrendo de fome."
15. "Sinto sua falta."	"Não consigo achar minhas meias, as crianças fizeram uma bagunça enorme e o papel higiênico acabou."
16. "Eu não estou perdido, sei exatamente onde estamos."	"Onde, diabos, está a entrada?"
17. "Belo vestido."	"Belos seios".
18. "Eu te amo."	"Vamos transar agora."
19. "Quer dançar comigo?/ Posso telefonar para você qualquer hora dessas? Quer ir ao cinema/jantar comigo?"	"Quero transar com você mais tarde."
20. "Quer casar comigo?"	"Quero tornar ilegal você fazer sexo com outros caras e preciso de uma substituta para mamãe."
21. "Você está tensa – deixa eu fazer uma massagem."	"Quero transar com você daqui a dez minutos."
22. "Vamos conversar."	"Estou tentando impressionar você mostrando que sou um homem profundo e sincero. Quem sabe assim você transa comigo mais tarde."

23. "Eu ajudo em casa."	"Uma vez eu joguei a toalha suja perto do cesto."
24. "Ela é uma dessas lésbicas feministas militantes".	"Ela se recusa a transar comigo."

Os homens jamais entenderão as mulheres
e as mulheres jamais entenderão os homens.
E isso é algo que homens e mulheres jamais entenderão.

Capítulo 9

O Teste de Apelo Sexual da Mulher

Como é que você faz os homens funcionarem?

Faça o teste

Quando os olhos de um homem encontram os seus numa sala lotada, como é que ele reage a você? Isso é algo em que toda mulher pensa: qual é a primeira impressão de um homem quando ele a observa pela primeira vez? A maioria das mulheres gostaria de saber até que ponto são atraentes para os homens. Criamos então este teste para lhe dar uma idéia de como eles a vêem. O teste diz respeito unicamente à sua forma física, aparência e apresentação. É um guia do impacto que você causa ou deixa de causar num homem quando ele a vê pela primeira vez, baseado nas respostas do cérebro masculino a certas formas, proporções, cores, tamanhos, texturas e sinais da linguagem corporal feminina. A influência de seus traços de personalidade sobre a atração masculina será discutida mais tarde. Trata-se aqui de um teste para verificar como um homem a avaliaria se a encontrasse pela primeiva vez ou estivesse vendo a sua fotografia.

1. Quais dos seguintes atributos melhor descrevem o seu corpo?
   a. Magro/ereto.
   b. Atlético/vigoroso.
   c. Pesado.

2. No primeiro encontro, como você se veste para tentar impressionar o homem?

a. Com uma calça comprida ou uma saia longa, mas com elegância.
b. Casual, não muito vistosa, com sapatos confortáveis.
c. Moderna, de saia curta e sapatos de salto alto para mostrar as pernas.

3. Que tipo de sapato predomina no seu guarda-roupa?

a. Sapatos de salto alto, com e sem tiras.
b. Sapatos da moda, com salto médio.
c. Sapatos rasos, ou de salto baixo, mas elegantes.

4. Se você pudesse comprar uma roupa nova independentemente de preço, qual teria a sua preferência?

a. Uma roupa longa e ondulante que cubra todas as áreas problemáticas.
b. Uma roupa curta, justa e decotada que deixe à mostra seus dotes físicos.
c. Um terninho elegante e bem cortado.

5. Meça sua cintura e quadris e calcule a proporção cintura/quadril dividindo a cintura pelo quadril. Por exemplo, se sua cintura mede 75cm e seu quadril 100cm, a proporção é 75%. A sua proporção é:

a. mais de 80%.
b. de 65 a 80%.
c. menos de 65%.

6. Quando você está batendo papo com um homem atraente que a deixa de perna bamba, qual a sua atitude?

a. Tenta fazê-lo sentar-se de modo que não possa ver o seu corpo.
b. Fica perto dele com as pernas descruzadas.
c. Mexe o cabelo, passa a língua nos lábios, reclina o quadril e acaricia o próprio corpo para chamar a atenção dele.

7. Se você pedisse a um estranho para descrever o seu traseiro, o que ele diria?

a. Carga pesada.
b. Liso, magro ou atlético.
c. Redondo/em forma de pêssego.

8. Quando você passa a mão no estômago, como ele lhe parece?

a. Compacto/musculoso.
b. Suave/liso.
c. Protuberante/redondo.

9. Como você se veste para sair à noite com as amigas?

a. Com roupas soltas que não dêem nenhuma idéia do corpo que está por baixo.
b. Com um sutiã que levante os seios e deixe à mostra o decote.
c. Com uma roupa justa que destaque a silhueta.

10. Descreva a sua maquiagem:

a. Cores e estilos que estejam na moda.
b. Natural.
c. Meu rosto é minha palheta, eu uso muita maquiagem, independente do dia ou da hora, para ficar com a melhor aparência possível.

11. Se Picasso fosse pintar você, como sairia?

a. Magra/angulosa/musculosa.
b. Curvilínea.
c. Roliça.

12. Se você fosse convidada para posar para a Vogue, que pose faria?

a. Olhando por cima do ombro, com cabelo puxado para o alto da cabeça.
b. Costas arqueadas, quadris reclinados, mãos nos quadris e lábios expostos.

c. Inclinada para a frente, o traseiro empinado e jogando um beijo para a câmera.

13. Como alguém descreveria o seu pescoço?
   a. Comprido, fino ou afilado.
   b. Comprimento e grossura médios.
   c. Curto, grosso e forte.

14. Se seus amigos fossem descrever seu rosto, diriam:
   a. Elegante/feições fortes.
   b. Infantil/olhos grandes.
   c. Cheio, porém sincero.

15. Você está indo a um jantar à luz de velas e quer ficar sexy. Que batom usaria?
   a. Neutro/cor natural.
   b. Vermelho brilhante.
   c. A cor da moda.

16. Você está se vestindo para ir à festa do Oscar. Pode usar os brincos que quiser. Você escolhe:
   a. Brincos pequenos de pérolas ou diamantes.
   b. Brincos de tamanho médio com pedras bem bonitas.
   c. Longos pendentes de diamantes.

17. Como um homem descreveria os seus olhos?
   a. Grandes/infantis.
   b. Amendoados.
   c. Pequenos/apertados.

18. Olhe o seu nariz no espelho. Como um cartunista o desenharia?
   a. Maior.
   b. Pequeno, como um botão.
   c. Médio.

19. Seu cabelo é:

a. Comprido.
b. Médio.
c. Curto.

20. Como você descreveria a sua aparência?

a. Despreocupada.
b. Sexy.
c. Elegante.

Seu placar

Questão	Pontos A	Pontos B	Pontos C
1	5	7	3
2	5	3	7
3	5	3	1
4	1	5	3
5	5	9	7
6	1	3	5
7	3	5	7
8	5	3	1
9	1	5	3
10	3	5	1
11	5	7	3
12	3	5	1
13	5	3	1
14	7	9	5
15	3	5	1
16	1	3	5
17	9	7	5
18	5	9	7
19	5	3	1
20	1	5	3

Agora calcule sua pontuação e veja onde você se classifica em termos do que sua aparência revela de sua sexualidade. Lembrando-se sempre de duas coisas: seus traços de personalidade poderão, a médio prazo, modificar essa imagem. E você pode melhorar sua aparência.

100 pontos ou mais: A deusa do sexo

Quando os homens a vêem, são imediatamente fisgados. Os peões de obra param de trabalhar e assobiam quando você passa. Você é realmente uma perita no jogo da sexualidade e nunca lhe falta programa. Os homens gostam de observá-la e a abordam. O próximo capítulo vai lhe mostrar a razão do seu sucesso e como fazer para melhorar ainda mais a sua pontuação.

66 a 99 pontos: Miss Elegância

A maioria das mulheres está nesse pelotão. Significa que você é razoavelmente bem sucedida em fazer os homens se sentirem atraídos por você à primeira vista. Se você obteve de 78 a 99 pontos, só precisa trabalhar algumas áreas para conseguir dos homens o que quiser. Se obteve de 66 a 78, saiba que, se investir para valer em sua aparência física, terá resultados ainda mais espetaculares.

Menos de 65 pontos: Vamos caprichar?

Você provavelmente acredita que a personalidade é mais importante do que a aparência, e não deixa de ter razão. Mas por que não investir no seu físico, assim como investe no intelecto? Um e outro são aspectos seus. Você pode melhorar sua apresentação sem comprometer suas crenças. Entrar para uma academia para melhorar a forma, por exemplo, a tornará mais atraente aos olhos dos homens, fará você sentir-se muito mais bonita e saudável e lhe dará um grande prazer de viver. A atração que você vai exercer sobre os homens será apenas um extra! Você pode também camuflar as suas imperfeições físicas vestindo-se de um modo que ressalte os seus pontos fortes. Talvez você diga que não está interessada em homens que se deixam hipnotizar pela aparência física. O problema, no entanto, é que até os homens mais sensíveis e intelectualizados estão à mercê da biologia, pelo menos em princípio. Os homens se sentem inevitavelmente atraídos pelos sinais femininos evidentes. Por que não trabalhar com isso – por mais que lhe desagrade – para melhorar a sua aparência, sabendo que assim atrairá um número maior de homens e terá mais chance de escolher? O próximo capítulo vai lhe mostrar como se tornar mais atraente e explicar por que a maioria dos homens babam por mulheres com QIs mais baixos e não olham duas vezes para você.

Capítulo 10

O que Faz os Olhos dos Homens Saltarem

O poder da atração sexual feminina

Estudo de caso: Kim e Daniel

Kim e Daniel já estavam saindo havia um ano e decidiram se casar. Ambos adoravam o relacionamento e achavam que o outro era o parceiro ideal. Daniel gostava de ver Kim sempre arrumada quando saíam juntos e achava que a aparência dela era um sinal claro de que ele fizera a escolha certa. Ela dizia que gostava de se vestir para ele e do modo especial como ele a olhava quando ela chegava. Quatro anos depois do casamento, Kim mudou. Não parecia mais se importar com a aparência dentro de casa, nem quando saíam com os amigos. Kim achava que, como agora era uma mulher casada, não precisava mais impressionar ninguém e se arrumar especialmente era perda de tempo, dinheiro e energia.

Em casa, depois do trabalho, ela sempre estava de roupão e chinelos, sem nenhuma maquiagem e com o cabelo escorrido. Daniel achava que talvez ela estivesse passando por um período difícil no trabalho e que logo voltaria a se cuidar. Mas começou a se irritar com o fato de ela se produzir para trabalhar, enquanto em casa era uma tragédia. Mas logo Kim passou a descuidar-se quando saíam com os amigos. Deixou de se maquiar, não se depilava e usava roupas que, para Daniel, deixavam Kim parecida com a mãe dela. Ele fervia por dentro. Esse comportamento lhe dizia que ele e seus amigos não eram importantes, não mereciam nenhum esforço da parte dela.

Como os homens são criaturas estimuladas pelo visual, a aparência de Kim era um desestímulo, e Daniel foi deixando de procurá-la para fazer sexo. Pela primeira vez, começaram a aparecer fissuras no casamento e ele começou a reparar em outras mulheres. Em seu escritório, todas estavam sempre bem arrumadas e maquiadas e flertavam com ele, o que, além de levantar a sua auto-estima, contrastava com o aspecto de Kim.

Daniel decidiu então enfrentar a situação e disse a Kim como se sentia. Ela ficou zangada, não entendia por que ele não podia amá-la do jeito que ela era. E concluiu que o marido era muito mais frívolo do que ela imaginara. Daniel não conseguiu explicar seu sentimento e ficou se culpando por ter tocado no assunto.

Seis meses mais tarde, Daniel deixou Kim e foi viver com Jade, que conheceu no trabalho. Kim agora se relaciona com um grupo de mulheres que acham que os homens são todos uns idiotas.

Gostemos ou não, a aparência física afeta nossa capacidade de atrair e conservar um parceiro. As pessoas que conhecemos formam até 90% de sua opinião sobre nós nos primeiros quatro minutos e avaliam se somos desejáveis em menos de dez segundos. Neste capítulo, iremos examinar os ingredientes que tornam homens e mulheres desejáveis e atraentes uns para os outros. Isso não significa que você não possa fazer sucesso com o sexo oposto por não ser igual a Cameron Diaz ou Brad Pitt. Mas, entendendo como funciona o processo da atração e empregando algumas estratégias simples em seu favor, você pode facilmente se tornar mais cativante. Os ancestrais signos biológicos de gênero que iremos explicar operam no nível do subconsciente, razão pela qual não podemos deixar de reagir a eles. Trata-se aqui de uma linha de psicologia evolucionária que diz que, no cérebro de cada um de nós, existem padrões residuais de comportamento construídos pelas necessidades de nossos ancestrais.

O que é mais poderoso, portanto: beleza e atração física ou inteligência e personalidade? Ambos serão examinados neste capítulo. E para sermos tão objetivos quanto possível, pusemos de lado as teorias do amor romântico, as idéias sobre o que é politicamente correto e as sutilezas pessoais.

A teoria da beleza

Toda pessoa emite sinais, tangíveis e intangíveis, que a tornam desejável ao parceiro potencial. São mensagens codificadas e transmitidas para dizer aos outros se somos ou não adequados aos seus propósitos. Para o homem, a atração se dá no plano biológico, quando a mulher exibe os dotes que lhe permitem transmitir seus genes à próxima geração. Para a mulher, por sua vez, um homem atraente é aquele que se apresenta como biologicamente capaz de lhe proporcionar alimento e segurança durante a criação dos filhos. Isso explica por que muitas mulheres costumam se sentir atraídas por homens mais velhos.

As mulheres gostam de homens mais velhos porque eles têm mais experiência e mais acesso a recursos.

Em ambos os sexos, as respostas a esses sinais primitivos de atração estão programadas no cérebro. Beleza e atração sexual são essencialmente a mesma coisa: o significado original da palavra "belo" é "sexualmente estimulante". A evolução moldou nossos cérebros de tal modo que a boa aparência é um signo de pessoa saudável e relativamente livre de doenças. O propósito biológico da beleza é atrair para fins de reprodução.

Dizer a uma pessoa que ela é bela ou atraente é dizer, no subtexto biológico básico, que você quer fazer sexo com ela.

O que diz a ciência

Pesquisas (Eagly, Ashmore, Makhij e Longo) demonstram que nós automaticamente atribuímos traços positivos, como honestidade, inteligência, bondade e talento, a pessoas de boa aparência, sem estarmos conscientes disso. Analisando os resultados das eleições federais canadenses de 1976, a Universidade de Toronto descobriu que os candidatos atraentes receberam uma quantidade de votos duas vezes e meia maior do que a dos candidatos não atraentes. Pesquisas subseqüentes revelaram que 73% dos eleitores negaram categoricamente que pudessem ter sido influenciados pela aparência do candidato e que apenas um em cada oito eleitores se dispunha a pelo menos considerar esta hipótese. Isso significa que eles decidiram seu voto num nível subconsciente, sem sequer sabê-lo.

Pessoas atraentes conseguem melhores empregos, salários mais altos, têm mais credibilidade e até mais permissão para descumprir as normas do que seus correlativos menos atraentes. Bill Clinton é prova disso.

Talvez seja politicamente correto negar o impacto da atratividade em nossas decisões, mas, gostemos ou não, as evidências continuam dizendo que nossos cérebros estão programados para responder à aparência física do outro. A boa notícia é que temos controle sobre muitos dos fatores determinantes da nossa aparência e podemos, se quisermos, mudar as coisas. Você pode optar por se tornar atraente.

O corpo da mulher – o que mais estimula os homens

O "aspecto" considerado como o mais adequado para a mulher ocidental no século XIX era uma compleição pálida, o rosto levemente corado e um ar de delicadeza e fragilidade. Hoje a aparência privilegia a juventude e o vigor: os concursos de beleza foram exclusivamente criados para promover uma imagem de atratividade que reflete a saúde da mulher.

Ao exibir fotografias de mulheres "bonitas" a homens heterossexuais, pesquisadores do Hospital Geral de Massachusetts descobriram que essas imagens ativam as mesmas partes do cérebro que a cocaína e o dinheiro.

Nos próximos dois capítulos você conhecerá os resultados de 23 estudos e experiências que mostram o que os homens consideram atraente no corpo da mulher e vice-versa. Com base nesses resultados, classificamos cada parte do corpo num *ranking* de atratividade e explicamos o motivo de sua influência.

Nos últimos sessenta anos, quase todos os estudos sobre a atração chegaram às mesmas conclusões a que chegaram pintores, poetas e escritores nos últimos seis mil anos: o corpo e a aparência da mulher exercem maior atração sobre os homens do que sua inteligência e qualidades, mesmo no politicamente correto século XX. O homem do século XXI quer as mesmas coisas imediatas de uma mulher que os seus ancestrais, mas, como você verá, os critérios masculinos para a escolha a longo prazo de uma parceira não são os mesmos.

A esposa é escolhida por sua virtude;
a concubina, por sua beleza.

PROVÉRBIO CHINÊS

O que torna um homem atraente para uma mulher, porém, é algo muito diferente. Iremos examiná-lo mais adiante. Cabe entender que o corpo da mulher evoluiu como um sistema de sinalização sexual permanente, desenvolvido para a atrair a atenção do homem.

Os homens preferem aparência a cérebro porque a maioria deles enxerga melhor do que raciocina.

GERMAINE GREER

Tenha em mente que aqui estamos analisando apenas as características físicas e geográficas do corpo, como se estivéssemos avaliando a parceira potencial através de uma fotografia. Falamos das coisas que exercem atração em alguém antes de você ouvir a pessoa falar ou mesmo de saber quem é. No final deste capítulo, discutiremos os fatores não-físicos relacionados à escolha de nossos parceiros.

Fatores que estimulam os homens por ordem de prioridade

1. Silhueta atlética
2. Boca sensual
3. Seios fartos
4. Pernas longas
5. Quadris redondos/Cintura fina
6. Nádegas hemisféricas
7. Olhos atraentes
8. Cabelos longos
9. Nariz pequeno
10. Ausência de barriga
11. Costas arqueadas
12. Vulva arqueada
13. Pescoço alongado

Estimulante 1: Silhueta atlética

O primeiro item da lista dos homens é a silhueta atlética da mulher. Um corpo forte e bem constituído é sinal de saúde e indica capacidade de procriar, de fugir do perigo e de defender a ninhada, se necessário. A maioria dos homens prefere a mulher mais carnuda do que a magra, porque a gordura adicional é um auxiliar da amamentação bem-sucedida. Poucas mulheres sabem que Marilyn Monroe, um dos maiores símbolos sexuais do mundo, era manequim 44 e tinha pernas bem grossas.

Estimulante 3: Seios fartos

Os seios da mulher no auge de sua capacidade sexual e reprodutiva – dos dezoito aos vinte e cinco anos de idade – são os favoritos dos homens. São os que aparecem nas páginas centrais das revistas masculinas e nos anúncios que exploram o sex-appeal.

A maior parte do seio é constituída de tecido adiposo, que lhe dá a forma arredondada e não tem relação com a produção de leite. Os mamilos das mulheres sem filhos são rosados; o das mães, marrom-escuro. A maior parte do tempo os seios das fêmeas humanas servem a um único e claro propósito – sinalização sexual. Quando os humanos andavam de quatro, eram as nádegas redondas e carnudas que desempenhavam o papel principal na atração dos machos, que cobriam as fêmeas pelas costas. Desde que os humanos começaram a caminhar eretos, os seios se tornaram maiores para atrair o macho que se aproximava pela frente.

Vestidos decotados e sutiãs que levantam os seios enfatizam esse sinal ao criar um sulco que imita as nádegas da mulher vistas por trás. Algumas mulheres ficam horrorizadas quando são apresentadas ao significado desse sulco. Outras, no entanto, usam-no para ampliar sua vantagem.

Por que os homens têm dificuldade em manter contato visual? Porque os seios não têm olhos.

Todas as pesquisas mostram que os homens gostam de seios de todos os tipos e tamanhos. Não importa se são do tamanho de limõezinhos ou se parecem melancias – a maioria dos homens se interessa ardentemente por todos eles e são loucos por um sulco.

Estimulante 4: Pernas longas

A visão de uma mulher com pernas que parecem terminar nas axilas deixa nos homens uma impressão duradoura. O princípio que está por trás das pernas da mulher como signo sexual é simples. Quanto mais pernas o homem pode ver e quanto mais longas elas são, mais sexy a mulher lhe parece, porque a atenção é atraída para a área onde a perna direita e a esquerda se encontram. Nunca se ouviu um homem dizer a uma mulher que ela tem braços longos belíssimos. Os bebês nascem com pernas curtas relativamente ao tamanho do corpo, e essa proporção não se altera muito nas crianças pequenas. Mas quando a menina atinge a puberdade e os hormônios começam a fluir pelo seu corpo e a transformá-la em mulher, as pernas crescem rapidamente. Pernas extralongas se tornam poderosos signos não-verbais a dizer aos homens que ela está amadurecendo sexualmente e já é capaz de procriar. É por isso que pernas longas sempre foram associadas a uma sexualidade potente.

Para a mulher, um degrau para o estrelato.
Para o homem, uma escada para o céu.

A maioria das mulheres compreende inconscientemente a dinâmica que está por trás das pernas extralongas e, desde adolescentes, aprendem rapidamente como a coisa funciona. Mesmo nos dias frios, usam sapatos de salto alto e vestidos curtos para dar a impressão de que têm pernas mais longas. Os homens gostam que as mulheres usem sapatos de salto alto: eles reforçam o perfil sexual das mulheres alongando-lhes as pernas, arqueando as costas, empinando as nádegas, diminuindo os pés e empurrando a pélvis para a frente. Os sapatos de salto alto são, de longe, o artigo de sex-appeal mais eficiente do mercado.

Estudos têm revelado que o comprimento dos vestidos e a altura dos saltos variam com o ciclo menstrual. Quando está ovulando, a mulher escolhe inconscientemente vestidos mais reveladores e saltos mais altos. Talvez essa seja uma importante lição para os pais: tranquem suas filhas do décimo quarto ao décimo oitavo dia após a menstruação!

Estimulante 5: Quadris redondos/Cintura fina

Durante séculos as mulheres usaram todo tipo de geringonças para apertar a cintura com o objetivo de adquirir uma forma perfeita de ampulheta. Na busca da feminilidade irresistível, chegavam a sofrer deformações da caixa torácica, problemas respiratórios, compressão de órgãos, abortos e extração cirúrgica de costelas. No século XIX, a mulher aumentava o tamanho dos quadris e das nádegas com ancas postiças para sinalizar seu potencial procriador. Mais tarde adotaram o espartilho para acentuar os quadris e aplainar a barriga, demonstrando assim sua disponibilidade para a gravidez e a procriação.

Decidi entrar em forma. A forma que escolhi foi a redonda.

ROSEANNE

Uma mulher saudável e com plena capacidade de dar à luz tem uma proporção cintura-quadril de 70%, isto é, sua cintura mede 70% de seu quadril. Ao longo de toda a história, esta proporção sempre mostrou uma espetacular capacidade de prender a atenção dos homens. Eles começam a perder o interesse quando a proporção excede 80% ou é inferior a 70%. Mulheres cuja proporção excede os 100% despertam pouco interesse, por exibir acúmulo de gordura em torno do útero e dos ovários, um indicador não-verbal de baixa fertilidade. A mãe-natureza costuma depositar o excesso de gordura longe dos órgãos vitais, razão pela qual não há gordura ao redor do coração, do cérebro e dos testículos. Mulheres que já fizeram histerectomia, por não terem mais os órgãos de reprodução, geralmente acumulam, como os homens, depósitos de gordura ao redor da barriga.

O professor Devendra Singh, psicólogo evolucionista da Universidade do Texas, coordenou um teste que usava imagens de mulheres abaixo do peso, acima do peso e no peso normal, mostrando-as a grupos de homens convidados a classificá-las em termos de atratividade. As mulheres de peso normal com proporção cintura-quadril em torno de 70% se revelaram as mais atraentes. Nos grupos abaixo e acima do peso, as mulheres com cintura mais fina foram as preferidas. A mais notável descoberta dessa experiência foi que os homens deram à proporção cintura/quadril 70% a melhor classificação, mesmo quando o peso da mulher era muito grande.

Estimulante 6: Nádegas hemisféricas

Os homens consideram as nádegas redondas, em forma de pêssego, as mais atraentes. As nádegas das mulheres armazenam grandes quantidades de gordura para usar na amamentação e como reserva alimentar em tempos difíceis, de maneira similar à corcova do camelo. Esculturas e pinturas da Idade da Pedra abundam em imagens de mulheres com traseiros grandes e protuberantes, uma formação conhecida como esteatopigia, que ainda pode ser vista em algumas tribos do sul da África. Traseiros protuberantes são um antigo signo de sexualidade feminina tão reverenciado na Grécia que um templo foi construído em honra de Afrodite Calipígia, "a deusa das belas nádegas".

No século dezenove, as mulheres tinham de manter todo o corpo coberto em público. Jovens que quisessem capturar a atenção dos homens recriavam a aparência de um grande traseiro vestindo anquinhas. Quando a gordura excessiva, associada à negligência e à má saúde, saiu de moda na segunda metade do século vinte, as jovens começaram a fazer plástica e lipoaspiração para reduzir o tamanho das nádegas. Os jeans também se tornaram populares, porque acentuava as nádegas dando-lhes uma aparência redonda e firme. Sapatos de salto alto faziam com que a mulher arqueasse as costas, empinasse as nádegas e requebrasse ao andar, o que atraía invariavelmente a atenção dos homens. Marilyn Monroe cortava dois centímetros do salto de seu sapato esquerdo para acentuar seu rebolado.

Estimulante 10: Ausência de barriga

As mulheres têm o ventre mais arredondado que os homens, e a ausência de barriga é um claro sinal de não-gravidez e portanto disponibilidade para os pretendentes do sexo masculino. É por isso que as academias e salões de ioga de todo o mundo se enchem de mulheres fazendo exercícios abdominais para adquirir o perfeito estômago tipo "tábua de passar roupa".

Estimulantes 11 e 12: Costas e vulva arqueadas

Curvas e arcos indicam feminilidade e fertilidade; formas geométricas e angulosas, masculinidade. Homens de todo o mundo, por conseguinte, gostam de mulheres curvilíneas. A parte superior das costas da mulher é mais estreita que a do homem, a parte inferior, mais larga, e a coluna lombar, mais arqueada. O arqueamento adicional das costas empina as nádegas e empurra os seios para a frente. Peça a qualquer mulher para assumir uma postura vertical sexy e verá que a posição preferida é o arqueamento das costas e o requebro dos quadris, com os dois braços apoiados neles para ocupar mais espaço e aumentar a chance de chamar a atenção. Se você não acredita, peça a qualquer mulher para ficar em pé e fazer uma pose sexy.

Estimulante 13: Pescoço alongado

O pescoço evoluiu nos homens como estruturas curtas, grossas e fortes para protegê-los de rupturas durante as caçadas e as batalhas. Isso fez do pescoço mais longo e afilado das mulheres um poderoso signo de diferenciação entre os sexos que os homens gostam de beijar e ver adornados de jóias e os cartunistas exageram para ressaltar a feminilidade.

Como o rosto atrai

Nosso interesse por rostos humanos atraentes é algo que parece fazer parte de nossa psicologia e não depende de origens culturais. As características femininas preferidas são os rostos pequenos com queixos curtos, mandíbulas delicadas, maçãs salientes, lábios carnudos e olhos grandes em relação ao tamanho do rosto. Acima de tudo, os homens gostam de um sorriso largo e um ar vulnerável. Todas as raças preferem rostos que surgiram aptidão para uma reprodução saudável. E para que o rosto de uma mulher seja universalmente classificado como "bonito", a fórmula é clara – deve ter um toque infantil. Esses signos provocam reações paternais nos cérebros dos homens e um poderoso desejo de tocar, abraçar e proteger.

Para as mulheres, isso costuma causar uma enorme ansiedade com relação ao envelhecimento. Veja-se quantas hoje em dia recorrem a cirurgias plásticas para tentar conservar, ou recuperar, a aparência juvenil.

Estimulante 2: Boca sensual

Os humanos são os únicos primatas que têm os lábios do lado de fora da boca. Os zoólogos acreditam que os lábios da mulher evoluíram como espelho de seus órgãos genitais, porque têm o mesmo tamanho e grossura, e, em estado de excitação sexual, também se expandem e se enchem de sangue. Isso é conhecido como "eco genital", uma reação que transmite potentes sinais aos observadores masculinos e que começou a se desenvolver quando passamos a andar eretos. O batom, inventado nos primeiros salões de beleza há seis mil anos, era usado pelos egípcios como um eco genital permanente. E sempre teve uma única cor – vermelha. Os homens gostam que suas mulheres usem batom e maquiagem por emitirem artificialmente o sinal de que elas estão interessadas ou se sentem excitadas por eles. O batom vermelho brilhante é um dos principais signos sexuais que uma mulher pode utilizar. É sempre a cor preferida de toda mulher que posa de símbolo sexual.

O rosto da mulher é uma tela sobre a qual, diariamente, ela pinta um retrato de seu eu anterior.

PICASSO

A excitação da sexualidade da mulher pode causar um rubor nas capilaridades de suas faces. O *blush* serve para recriar esse efeito. A base dá à pele um aspecto uniforme e sem manchas que sinaliza juventude, boa saúde e bons genes.

Durante milhares de anos, o tamanho da orelha foi considerado indicador de sensualidade, vínculo que ainda existe em partes da África e em Bornéu, entre as tribos Kelabit e Kenyah. A mulher moderna obtém o mesmo efeito usando longos pendentes. Nossos testes com imagens computadorizadas mostram que quanto mais compridos os brincos das mulheres, mais os homens lhes atribuem sensualidade.

As feministas talvez digam que essas são boas razões para não usar cosméticos nem brincos, mas é importante que a mulher entenda os efeitos que esses signos produzem nos homens e os explorem em encontros românticos. Da mesma forma, a mulher que quer ser levada a sério no ambiente de trabalho deve usar menos maquiagem nos olhos e batons de cores mais sutis. Excessos podem transmitir uma impressão equivocada aos clientes do sexo masculino e provocar rivalidades em clientes do sexo feminino.

Estimulante 7: Olhos atraentes

Em quase todos os países, olhos grandes são considerados atraentes. A maquiagem aumenta os olhos e recria o olhar infantil. Olhos que parecem grandes em relação à parte inferior do rosto inspiram nos homens sentimentos de proteção. Quando a mulher acha um homem atraente, suas pupilas se dilatam e o rímel, a sombra e o delineador criam artificialmente a impressão de que ela está interessada. Lentes de contato dão a ilusão de que os olhos da mulher estão brilhando e as suas pupilas dilatadas, o que explica por que os homens acham “estranhamente atraentes” as mulheres que usam lentes de contato. Acima de tudo, os homens mostram uma certa preferência por mulheres de olhos claros e coloridos.

As mulheres modernas começaram a usar cosméticos quando, nos anos 1920, ingressaram em maior número na força de trabalho. Desde então, a indústria de perfumaria e cosméticos atingiu um valor global de mais de 50 trilhões de dólares por ano – tudo com a finalidade de criar a ilusão de signos sexuais faciais. Infelizmente, porém, nos tornamos tão desacostumados de ver rostos limpos, que algumas mulheres acreditam ser feias sem maquiagem e usam-na como uma máscara para se esconder e não como um auxílio para tornar seus rostos mais sedutores e misteriosos. Os homens se sentem mais atraídos por mulheres que usam maquiagem natural do que por mulheres que parecem ter sido moldadas com colher de pedreiro.

Estimulante 9: Nariz pequeno

Nariz pequeno é outra reminiscência da infância que produz nos homens sentimentos de proteção. Os cartunistas exploram essa característica em larga medida, criando personagens de olhos grandes e nariz pequeno para conquistar os corações de seu público.

Bambi, Barbie e Minnie Mouse têm nariz pequeno.

Jamais se verá um modelo feminino com um nariz grande. Os cirurgiões plásticos costumam modificar os narizes para formar um ângulo de 35-40 graus com o rosto, dando-lhes aquela aparência infantil. Hoje, até os atores estão fazendo operações de redução de nariz, em consonância com a nova imagem andrógina do homem do século XXI.

Estimulante 8: Cabelos longos

Se a pessoa nunca cortasse o cabelo, ele atingiria cerca de um metro de comprimento. As louras têm 140 mil fios de cabelo, as morenas 110 mil e as ruivas 90 mil. As louras também estão na frente em outras coisas. Mulheres de cabelo louro têm um nível de estrogênio mais alto que as morenas, algo que só os homens parecem perceber. Eles o interpretam como sinal de fertilidade, o que imediatamente os atrai – será este o *verdadeiro* motivo do sucesso maior das louras? O cabelo louro é também um poderoso indicador visual da juventude da mulher: ele escurece depois que ela dá à luz, e as louras genuínas têm pelos púbicos também louros.

Fizemos uma pesquisa com 5.214 homens britânicos, perguntando que tipo de cabelo lhes parecia sexualmente mais atraente nas mulheres. O resultado era previsível: 74% acham as mulheres de cabelos compridos sexualmente mais atraentes; 12% preferem mulheres de cabelo curto; o restante não tem preferência. Em épocas remotas, cabelos longos e brilhantes indicavam um corpo saudável e bem nutrido e contavam o histórico de saúde de sua portadora e seu potencial para a procriação. Considerava-se que o cabelo comprido dava à mulher um encanto sensual e que o cabelo curto indicava um enfoque mais sério da vida. As lições a serem aprendidas aqui são claras: a mulher deve usar cabelo comprido quando quer atrair os homens e cabelo curto ou puxado para trás em reuniões de trabalho. Nos negócios, uma aparência sensual pode ser desvantajosa para a mulher em posição de poder ou num ramo onde predominam os homens.

A ligação entre atração e pornografia

Ver pornografia é uma atividade quase que totalmente masculina. Noventa e nove por cento dos sites pornográficos da Internet são dirigidos aos homens, e a grande maioria das imagens de homens nus é destinada a homossexuais. As mulheres devem entender que os homens vasculham a Internet em busca das formas e curvas que apelem ao seu cérebro. Um homem, quando vê uma imagem pornográfica de uma mulher, nunca pensa se ela sabe cozinhar, tocar piano ou lutar pela paz mundial. Ele é atraído pelas formas e curvas e pela sugestão virtual de que ela seja capaz de transmitir os seus genes. Jamais lhe ocorre se ela tem uma personalidade simpática.

Os homens das gerações passadas também gostavam de banquetear os olhos com imagens eróticas de mulheres, só que através de pinturas. Os artistas que esculpiam, desenhavam ou pintavam imagens de mulheres nuas eram quase todos homens.

O impacto da roupa feminina sobre os homens

A discussão dos efeitos da aparência feminina requer algum entendimento da história do vestuário. Durante séculos, a roupa da mulher enfatizou seus dotes físicos com a finalidade de atrair a atenção de potenciais pretendentes.

Até o início do movimento feminista, na década de 1960, as mulheres se vestiam pela razão de sempre: atrair os homens e superar outras mulheres. O feminismo disse às mulheres que vestir-se para atrair os homens não era mais relevante – a beleza interna agora contava mais que a aparência, uma idéia que atraía milhões de mulheres de todos os lugares. Elas acreditaram então que podiam ficar livres da obrigação opressiva de terem de estar sempre bonitas para os homens.

Estilos como *punk* e *grunge* apareceram como contestação ao uso da roupa para atrair os homens e para mostrar ao mundo que homens e mulheres podiam ser iguais no que respeita à aparência. Esse código antiatração de vestuário evoluiu ao ponto de, em 1990, as modelos começarem a ter corpos não-femininos, de aspecto emaciado, a usar batom e unhas negras e até a exibir olheiras escuras como se estivessem dopadas. Essa aparência fez pouco sucesso com os homens heterossexuais, que raramente assistem a desfiles de moda. Em se tratando do concurso de Miss Universo, porém, mais de 70% da audiência são formadas por homens que querem ver mulheres exibindo sinais capazes de estimular as reações ancestrais de seu cérebro.

A mulher moderna tem dois códigos básicos de vestuário: roupa de trabalho e roupa de não-trabalho. O traje profissional dá a ela uma posição de igualdade perante os homens e mulheres do mundo dos negócios e, em segundo lugar, lhe permite superar outras mulheres ao demonstrar o sucesso, o poder, a importância e a atratividade daquela que o veste.

A chave para a roupa profissional bem-sucedida é simples. Como é que a pessoa que você quer influenciar espera que você se vista? Como deve ser a sua maquiagem, suas jóias, seu penteado e sua roupa para assegurar uma imagem de credibilidade, confiabilidade e integridade nos negócios? Se você está num ramo em que é necessário vender aos homens seus conhecimentos técnicos e gerenciais, a maioria dos signos de atração que discutimos são inapropriados. Se, no entanto, o seu negócio é vender a própria imagem feminina – cosméticos ou roupas por exemplo –, muitos dos sinais que discutimos podem ser usados com sucesso.

Cirurgia plástica

Hoje em dia, um número cada vez maior de pessoas está optando pela correção plástica (correção soa melhor que cirurgia) para melhorar a aparência. Só nos Estados Unidos, mais de um milhão de pessoas se submetem ao bisturi todos os anos A principal razão de as pessoas escolherem esse caminho é melhorar a auto-imagem e a autoconfiança, aumentando a capacidade de emitir os sinais aqui discutidos. As celebridades são os pacientes mais comuns.

A correção plástica não é novidade. Séculos antes da lipoaspiração e dos implantes de seios, já havia malhas acolchoadas para homens com panturrilhas demasiado magras, espartilhos de ferro para mulheres rechonchudas e anquinhas para lhes aumentar as nádegas e os quadris. O rei Henrique VIII usava uma braguilha acolchoada para aumentar sua virilidade diminuta e sifilítica e competir com a realeza francesa. A dele era enfeitada com jóias e emblemas.

Numa semana típica, a pessoa média está exposta a mais de quinhentas imagens de seres humanos "perfeitos" em revistas, jornais, outdoors e televisão. A maior parte dessas imagens é produto da tecnologia, como aerógrafos, realce de maquiagem, computação gráfica e efeitos de luz. Raramente elas mostram a pessoa real.

Se você tem marcas ou cicatrizes, algum defeito de nascença ou um traço de que realmente não gosta, talvez seja o caso de fazer uma cirurgia plástica. A maioria das pessoas que fizeram manifestou satisfação com o resultado.

Não se compare com as imagens das revistas femininas. Elas só farão você se sentir feia.

Mas é importante entender que a cirurgia plástica não faz de você uma pessoa melhor nem mais amada, nem resolve os problemas da sua vida. A pessoa que julga você apenas pela aparência tem provavelmente algum problema com sua auto-imagem. Não é o tipo de pessoa com a qual você deve querer se ligar.

O outro lado da atração

Por que os Homens Fazem Sexo e as Mulheres Fazem Amor? registra os resultados de uma pesquisa com quinze mil homens e mulheres a respeito do que eles procuram num parceiro.

A relação é a seguinte:

O que os homens procuram numa parceira

A. À primeira vista:

1. Boa aparência.
2. Corpo bem torneado.
3. Seios.
4. Nádegas.

B. A longo prazo:

1. Personalidade.
2. Boa aparência.
3. Capacidade intelectual.
4. Humor.

A relação *A* mostra aquilo que já sabemos – os homens são seres estimulados visualmente que gostam de olhar para mulheres atraentes. A maioria das mulheres o compreende e as pesquisas científicas já o provaram reiteradas vezes, ainda que não seja "politicamente correto" reconhecê-lo. As feministas em geral abominam a idéia de a mulher ser julgada por sua aparência física e classificam os homens de superficiais e frívolos. Mas isso não muda o fato de que a primeira reação deles às mulheres é irresistivelmente visual. Os itens da lista *A* são visuais, de modo que você deve lembrar disso se está fazendo sua apresentação de estréia. Mas o mesmo não acontece com a lista *B:* a "boa aparência" é o único item visual que os homens buscam numa parceira a longo prazo.

A atração sexual é 50% aquilo que você tem e 50% aquilo que os outros pensam que você tem.

ZSA ZSA GABOR

Essa pesquisa revela duas coisas. Primeiro, os homens se concentram em imagens visuais em seu primeiro encontro com uma mulher, e a aparência geral é mais importante do que o corpo bonito. Isso significa que a maneira como a mulher se veste, a maquiagem e o estilo valem mais pontos do que quilinhos a mais, algumas espinhas e seios pequenos. Em segundo lugar, a longo prazo o homem está mais interessado na personalidade, inteligência e senso de humor da mulher, mas uma "boa aparência" ainda tem alta cotação na sua lista. A boa notícia é que você dispõe de um amplo controle sobre a maior parte de sua aparência e pode mudar as coisas para se adequar.

Para a mulher, ter senso de humor não quer dizer contar piadas. Quer dizer rir das piadas dele.

Como os signos visuais têm tanta importância para o homem, ele usa inconscientemente a aparência da mulher como medida do respeito e do amor que ela tem por ele. Ele pensa que se ela gasta tempo com a aparência, é porque quer que ele se sinta atraído. Uma das principais queixas dos homens nas ações de divórcio é que as esposas, depois do casamento, deixaram a aparência escoar pelo ralo. Eles dizem que elas usaram a aparência para atraí-los e depois acharam que não era mais necessária. A maioria dos homens se decepciona com a mulher que só se veste para os colegas de trabalho. As mulheres, no entanto, têm dificuldade de entendê-los neste ponto, por não vincular com a mesma intensidade seu amor à aparência.

Solução

É inevitável: sua aparência influencia a resposta e tratamento que os outros lhe dão. Influencia também a sua auto-imagem e o seu comportamento. A maior parte dos componentes de sua aparência depende, em maior ou menor grau, da sua atuação. Há cursos de vestuário e etiqueta para aprender a andar, sentar, falar, vestir, maquiar-se e assim por diante. As livrarias estão cheias de publicações sobre o tema. Lojas de departamentos costumam oferecer serviços gratuitos de maquiagem que ensinam as clientes a escolher e aplicar cosméticos. Uma boa cabeleireira pode lhe recomendar a melhor maneira de arrumar o cabelo; a esteticista, de cuidar da pele, e o dentista, de corrigir seus dentes. O peso também está sujeito ao seu controle, pois uma nutricionista competente lhe ensina bons hábitos alimentares, e exercícios em uma academia lhe darão a forma que deseja. Se achar absolutamente necessário, mande fazer um nariz novo, aumente os seios, elimine os sinais de envelhecimento. No século XXI há poucas razões legítimas para você não ficar com a aparência que deseja.

"Você ainda vai me amar quando eu ficar velha e de cabelo branco?", ela perguntou. "Eu não só vou amá-la", ele respondeu, "como vou lhe escrever."

Não estamos sugerindo que a mulher deva ter obsessão pela aparência como ocorre muitas vezes, mas é importante que ela se esforce para ter o melhor aspecto possível.

Não existe mulher feia, existe mulher preguiçosa.

HELENA RUBINSTEIN

Sobretudo, você pode ficar mais atraente desenvolvendo-se intelectualmente e emocionalmente. Há mulheres que, apesar de não serem fisicamente bonitas, tornam-se tão interessantes por sua qualidade humana, seu dom de comunicação e sua inteligência, que deixam para trás muitas deusas do sexo.

Os homens podem delirar com seios ousados, e as mulheres, com bíceps de aço, mas as pesquisas mostram que, no final, os relacionamentos têm mais a ver com o espírito do que com a matéria. O ingrediente-chave é a chama interior que vem da autoconfiança – sexual, emocional e profissional. Em outras palavras, faça-se uma pessoa interessante e eles não vão perceber as suas imperfeições físicas.

Resumo

É fato que a aparência da mulher pode atrair ou repelir o homem durante o relacionamento. Muitas mulheres ficam furiosas com isso. Acham que é injusto um homem grisalho e enrugado ser considerado distinto e maduro, e a mulher na mesma situação, simplesmente uma velha. Mas é o que acontece. Não adianta se aborrecer com isso e ficar se queixando do que você não pode mudar. É assim que os homens – e muitas mulheres – pensam. Não lute contra isso. Administre suas conseqüências.

Se você está insatisfeita com algum aspecto da sua aparência, mude. Você tem os recursos para isso. E se não for para atrair um homem, faça-o por você mesma.

Capítulo 11

O Teste do Apelo Sexual Masculino

Como vai o seu conceito com as mulheres em termos de atratividade? Elas o acham irresistível – ou lhe são indiferentes? Você é atraente ou repulsivo? Faça o teste agora mesmo para saber a sua pontuação com as mulheres. No próximo capítulo você ficará sabendo todos os segredos a respeito do que as mulheres realmente buscam num homem. O teste registra os pontos que você recebe – segundo aspectos físicos e não-físicos – toda vez que uma mulher o conhece. Depois de fazer o teste, peça às suas amigas para dar notas para as suas respostas e compare o resultado.

Faça o teste

1. Você vai ao programa de TV "Encontro às Escuras" e uma candidata lhe pede que descreva seu tipo de corpo. Qual a sua resposta?
   a. Em forma de "V".
   b. Retangular.
   c. Redondo.

2. Você acha que o homem deve ser:
   a. 100% monógamo.
   b. Comprometido, mas acha que flertes ocasionais contribuem para o relacionamento permanente.
   c. Livre de compromisso – o relacionamento aberto é o caminho do futuro.

3. Se você pedir às mulheres que descrevam sua bunda, elas dirão:

a. Carga pesada.
b. Pequena e compacta.
c. Magra ou sem bunda.

4. Quanto cabelo você tem?

a. Mais ou menos a metade (grandes entradas, por exemplo).
b. Quase a totalidade.
c. Careca ou cabeça raspada.

5. Você pede às mulheres que descrevam sua boca. O que elas responderiam?

a. Feliz.
b. Neutra ou para baixo.
c. Bondosa/gentil.

6. Como é o seu senso de humor?

a. Sou um caso perdido.
b. Posso ser a alegria da festa.
c. Preciso melhorar a esse respeito.

7. Como uma mulher descreveria os seus olhos?

a. Distantes/frios.
b. Divertidos/maliciosos.
c. Bondosos/gentis.

8. Olhe-se no espelho. Descreva seu queixo e seu nariz.

a. Médios, parecem adequados ao meu rosto.
b. Nariz sólido, mandíbula saliente.
c. Nariz e queixo pequenos.

9. Suas coxas são:

a. Musculosas/angulosas.
b. Longas/magras.
c. Roliças.

10. Sua renda é:

a. Abaixo da média, mas eu prefiro trabalhar meio período.
b. Razoável para a minha idade e experiência.
c. Significativamente acima da média.

11. Tire a medida de seu peito, divida-a pela medida do quadril e depois multiplique por 100. Por exemplo, se o seu peito mede 91 cm e seu quadril 106 cm, a sua proporção é de 85,8%. A sua proporção é:

a. 100% ou mais.
b. 85-95%.
c. Menos de 85%.

12. Se uma mulher passar a mão na sua barriga, o que irá sentir?

a. Um barril.
b. Um abdome bem definido.
c. Uma superfície lisa.

13. Tamanho é documento? Você acha que para as mulheres o tamanho do pênis é:

a. Sem importância.
b. Relevante.
c. Muito importante.

14. Você foi convidado para uma festa e ouviu dizer que lá estarão muitas mulheres que você está a fim de impressionar. Como se veste?

a. Calça e camisa social, sapatos de couro.
b. Jogging e tênis.
c. Jeans e camiseta com sapato esportivo.

15. Se uma mulher estiver aflita, triste ou ansiosa:

a. Você provavelmente não perceberá.
b. Você saberá imediatamente.
c. Você provavelmente perceberá, se conversar um pouco com ela.

16. Você costuma:

a. Usar barba.

b. Estar com o rosto bem barbeado.

c. Estar com barba de três dias.

17. Qual a amplitude de sua conversa?

a. Sei muito sobre pessoas, lugares e coisas.

b. Abrangência razoável.

c. Sou entendido na minha área específica.

Seu Placar

Questão	Pontos A	Pontos B	Pontos C
1	7	5	3
2	9	1	0
3	3	7	5
4	3	5	4
5	3	1	5
6	1	9	4
7	1	4	5
8	3	5	1
9	5	3	1
10	3	5	9
11	3	7	5
12	1	5	4
13	5	3	1
14	5	1	3
15	1	9	7
16	3	4	5
17	9	7	3

Agora totalize os pontos e veja a classificação da sua sexualidade.

90 pontos ou mais:
Um gatão

Uau! Você pode se considerar um ímã para as mulheres. Envia-lhes os sinais corretos e sabe como acentuar seus dotes para atraí-las. Mas cuidado para não tornar sua aparência perfeita demais, porque elas podem achar que você é superficial ou obsessivo consigo mesmo, o que para a maioria das mulheres é um fator de desestímulo. Elas não querem homens egoístas. Nenhuma mulher quer disputar seu parceiro com o espelho.

47 a 89 pontos:
Um gato

A maioria dos homens pertence a essa categoria. Você tem uma razoável capacidade de usar os seus dotes para atrair as mulheres. Se está próximo dos 89 pontos, não precisa melhorar muita coisa. Apenas dê uma olhada nas perguntas em que não marcou muitos pontos e leia as dicas do próximo capítulo. E se está próximo dos 47 pontos, você tem uma base que precisa ser bastante trabalhada. O próximo capítulo irá lhe mostrar como.

46 pontos ou menos:
Um gato vira-lata

Você talvez se pergunte por que as mulheres fogem de você, e se console dizendo que homem que prefere mulher a cerveja é boiola. Para você, os amigos são mais importantes do que as mulheres. Se você quer mesmo se tornar atraente para as mulheres, vai precisar de ajuda! As mulheres gostam de homens que tenham personalidade, que as façam rir, que sejam sensíveis às suas necessidades e que tenham ambição e talento para subir na vida. Felizmente, você pode aprender a maior parte dessas coisas. Pense em como será divertido ver as mulheres da sua vida olhando para você de uma forma diferente!

Capítulo 12

O QUE ATRAI AS MULHERES

A primeira coisa que você irá notar neste capítulo sobre a atração sexual masculina sobre as mulheres é que ele tem a metade do tamanho do capítulo que trata dos estímulos femininos sobre os homens. Isso se dá porque, como já dissemos, o corpo feminino evoluiu como um dispositivo de sinalização sexual, emissor de mensagens aos homens sobre a capacidade de a mulher ser uma portadora saudável e bem-sucedida de seus genes. O apelo sexual feminino é um processo complexo e sofisticado; o apelo sexual masculino é muito mais básico e direto.

Desde o início dos tempos, as mulheres são atraídas por homens fortes e saudáveis, capazes de obter alimentos e proteger a família. Pouca coisa mudou a esse respeito, mas a mulher do século XXI quer algo mais do que suas ancestrais: quer um homem que atenda também às suas necessidades emocionais. Seu cérebro desenvolveu-se, portanto, em busca de duas exigências básicas: dureza e suavidade. Dureza significa que o parceiro escolhido deve possuir virtudes que proporcionem a melhor herança genética possível para os seus filhos, aumentando-lhes a chance de sobrevivência. Uma forma de identificar essas características é a simetria corporal do homem: o lado esquerdo de seu corpo deve espelhar o lado direito, com membros de igual tamanho. Isto é totalmente diferente da forma como os homens vêem as mulheres. Eles buscam rostos – e não corpos – simétricos. Mas ambos os sexos vêem – ainda que inconscientemente – tais simetrias como indicadores de juventude e saúde, da mesma forma como as flores simétricas são mais atraentes às abelhas porque têm mais néctar, e os animais simétricos tendem a viver mais que os não-simétricos.

A simetria corporal do homem é mais importante para a mulher do que a simetria facial – razão pela qual os campeões de boxe muitas vezes atraem belas mulheres.

Entre os humanos, a atração feminina por homens rijos e simétricos pode variar de acordo com o ciclo menstrual. Um estudo realizado na Escócia descobriu que o tipo de rosto masculino mais atraente para a mulher varia de acordo com as fases do ciclo menstrual. Se está ovulando, ela se sente atraída por homens com características másculas e rudes. Quando a probabilidade de concepção é máxima (mais ou menos na metade do ciclo menstrual), a mulher fica mais propensa a escolher um homem duro e simétrico para uma relação de curto prazo.

Como parceiros a longo prazo, porém, as mulheres tendem a escolher homens que invistam no relacionamento e na criação dos filhos, sejam simétricos ou não. Julgando-se a atratividade apenas pela aparência (que é o que estamos fazendo aqui), a simetria desempenha um papel significativo na escolha feminina. Na Grã-Bretanha, exames de DNA revelam que 10% dos bebês nascidos em casamentos não são filhos do parceiro. Parece que a esposa o escolheu por sua capacidade de provedor, mas foi procurar bons genes em outro lugar.

O que diz a ciência

Pesquisas realizadas nos Estados Unidos mostram que os homens atraentes ganham 12-14% mais que seus colegas não-atraentes (Hammermesh e Biddle). O preocupante aqui é que os indivíduos atraentes recebem tratamento mais favorável nos tribunais, traduzido em penas menores e multas mais baixas

(Castelloe, Wuensch e Moore, 1991 e Downs e Lyons, 1990). Na Pennsylvania, um estudo da atratividade de 74 acusados homens, iniciado antes dos respectivos julgamentos, mostrou que os réus atraentes não apenas recebiam penas mais leves, como tinham duas vezes mais chances de escapar da prisão do que os réus não-atraentes. Isso explica por que os maiores trapaceiros são quase sempre pessoas atraentes.

Um estudo das indenizações concedidas em processos por negligência descobriu que, quando o acusado tinha melhor aparência que a vítima, a indenização média era de US$ 5.623. Mas quando a vítima era mais atraente que o acusado, a indenização média era de US$ 10.051 (Kulfa e Kessler, 1978). As evidências mostram que, se os membros dos tribunais tivessem os olhos vendados para não poder ver os acusados, os resultados seriam significativamente diferentes.

Isso pode parecer desalentador, mas, olhando pelo lado positivo, já que qualquer um tem a possibilidade de melhorar sua aparência, tornando-se mais atraente para as outras pessoas, basta para isso tomar uma decisão consciente. As respostas sexuais das mulheres são visualmente provocadas por certos aspectos do corpo masculino. Aqui estão eles, por ordem de prioridade.

Os principais fatores estimulantes das mulheres

1. Corpo atlético.
2. Peito e ombros largos e braços musculosos.
3. Bunda pequena e firme.
4. Cabelo farto.
5. Boca sensual.
6. Olhos bondosos.
7. Nariz e queixo fortes.
8. Quadril estreito e pernas musculosas.
9. Ausência de barriga.
10. Pênis grande.
11. Barba de três dias.

Estimulante 1: Corpo atlético

No topo da lista feminina de atrativos masculinos está o corpo de aspecto atlético, em forma de "V". Um corpo forte e atlético é sinal de boa saúde, o que indica o potencial do homem para conseguir alimentos e derrotar seus inimigos. Mesmo em nossa época de suposta igualdade entre os sexos, em que bíceps avantajados e peitos largos são de pouca utilidade prática, esses sinais ainda estimulam o cérebro da mulher quando ela avalia potenciais parceiros. O formato em V também atrai a mulher, porque é o seu oposto: ela própria tem a forma de um V invertido. Onde ela tem curvas e maciez, o homem tem ângulos e firmeza, e é essa diferença que se revela tão atraente.

Estimulante 2: Peito e ombros largos e braços musculosos

A parte superior do corpo do macho caçador é larga, estreitando-se à altura do quadril, ao passo que o corpo da mulher é mais estreito nos ombros, alargando-se nos quadris. Os homens desenvolveram essas características para poder carregar armas pesadas e levar suas presas para casa.

Ombros largos são uma característica masculina, muitas vezes copiada por mulheres em busca de afirmação. Para parecerem mais largas nos ombros e ocupar mais espaço, elas colocam as mãos nos quadris. Mulheres que usam ombreiras no ambiente profissional são vistas como mais afirmativas. Não é por outra razão que as dragonas conferem status aos homens. O peito masculino se alargou para abrigar pulmões grandes, que proporcionem uma distribuição melhor de oxigênio e lhes permitam respirar com mais eficiência ao correr ou perseguir a caça. Quanto maior o peito, mais respeito e poder o homem impõe. Quando o homem moderno atinge seu objetivo, seu peito ainda se "enche de orgulho", e os rapazinhos ainda associam o torso superior bem constituído à masculinidade.

Os homens têm antebraços mais longos do que as mulheres, o

que lhes proporciona melhor pontaria e arremesso, e portanto mais aptidão para o papel de provedor. As axilas peludas sempre foram uma característica fortemente masculina. O pêlo da axila retém o odor segregado pelas glândulas sudoríparas, que contêm um feromônio almiscarado que estimula sexualmente o cérebro da mulher. O mesmo acontece com os pêlos do peito e púbicos.

As mulheres são certamente atraídas por um torso masculino bem definido, mas a maioria não gosta do gênero "homem-músculo" porque acha que esse tipo de homem muito provavelmente está mais interessado em sua própria beleza do que na dela. A aparência atlética, saudável, as estimula; o gênero Arnold Schwarzenegger as desestimula.

Estimulante 3: Bunda pequena e firme

Os macacos machos não têm nádegas salientes e hemisféricas – só os humanos têm. Para que pudéssemos ficar eretos e caminhar sobre dois pés, os músculos glúteos da coxa tiveram uma formidável expansão. A bunda sempre foi objeto de piadas, uma parte do corpo costumeiramente tratada com humor e desdém. Por que então as mulheres se interessam tanto por bunda de homem? Por que sentem vontade de lhe passar a mão? Por que gostam de olhar fotos de homem com traseiro bonito? Nádegas pequenas e firmes são as preferidas das mulheres de todo o mundo, mas poucas são as mulheres que compreendem a razão do seu magnetismo.

O segredo está no fato de que nádegas rijas e musculosas proporcionam movimentos vigorosos para a frente durante o ato sexual. Homens com nádegas gordas ou flácidas têm dificuldades com esses movimentos, tendendo a jogar todo o peso do corpo sobre a mulher. Para a mulher isso não é o ideal, porque o peso do homem pode lhe causar desconforto e dificultar a sua respiração. Homens com nádegas pequenas e rijas indicam uma chance maior de trabalho mais eficiente.

Nádegas pequenas e firmes indicam maior chance de concepção.

Espancar nádegas nuas é uma prática que atrai há muito tempo sádicos e masoquistas, e muitos homens e mulheres a consideram um estimulante sexual. A vermelhidão das nádegas assemelha-se ao estado de excitação sexual da mulher e a sobreestimulação das terminações nervosas das nádegas é transmitida aos genitais. Em outras palavras, quando uma mulher bate nas nádegas do homem, ela na realidade o está incentivando a ter uma ereção.

Estimulante 4: Cabelo farto

Ao longo da história, cabelo na cabeça sempre foi considerado um distintivo de força bruta masculina. Na Idade Média, se supunha que o cabelo tinha poderes mágicos, razão pela qual se cortavam mechas para guardar em camafeus e usar em cerimônias religiosas. No caso dos monges, raspar a cabeça era visto como sinal de humildade diante de Deus. Sansão perdeu sua força quando teve o cabelo cortado. Uma cabeça cheia de cabelos sempre representou a força e o poder do homem, razão da atração que exerce sobre as mulheres.

Cerca de 50% das mulheres conferem alta relevância ao fato de o homem ter uma cabeleira farta, o que no entanto é uma baixa prioridade para as outras, muitas das quais acham atraentes cabeças calvas ou raspadas.

A calvície masculina é hereditária, e sua causa é a superprodução de hormônios masculinos. Esses hormônios irrigam o sistema, desativando certas papilas capilares, em geral situadas no alto da cabeça. Devido aos níveis mais elevados de hormônio, os homens calvos são em geral mais agressivos e mais sexualmente excitados do que seus semelhantes não-calvos, o que faz da calvície um signo de masculinidade exacerbada. A masculinidade transmitida por uma cabeça calva acentua a diferença entre os sexos e é por isso um estímulo para muitas mulheres.

Para algumas, é um careca.

Para outras, é uma máquina de fazer sexo.

Fizemos uma experiência usando imagens modificadas por computador de cabeças masculinas com graus variados de calvície, que mostramos a voluntários solicitados a dizer a impressão que causariam no ambiente de trabalho. Descobrimos que, quanto mais calvo o homem, maior a impressão de poder e sucesso que ele transmite e menor a resistência potencial das pessoas à sua autoridade. Os homens com cabelos fartos, por outro lado, eram vistos como os menos poderosos e menos bem-remunerados. Uma cabeça calva é, portanto, uma poderosa vitrine de testosterona. Muitos homens sofrem com a calvície, real ou potencial, e se sentem frustrados por não poderem fazer quase nada a respeito – a única maneira segura de evitar a calvície é a castração antes da puberdade, coisa que não recomendamos. Mas eles devem ter em conta que a compensação para a calvície é o reforço de sua aura de masculinidade e poder.

Durante a pesquisa que fizemos para o nosso livro *Rude and Politically Incorrect Jokes* (Piadas grosseiras e politicamente incorretas), descobrimos que só os homens contam piadas de carecas; mulheres raramente o fazem. Isso se deve em parte à solidariedade da mulher com o desconforto que a calvície traz aos homens e em parte ao fato de a calvície ser um signo de masculinidade. Em vez de vê-la como fraqueza e motivo de piada, muitas mulheres se sentem estimuladas por ela e até gostam de beijar, ou acariciar, a cúpula lustrosa do homem.

Estimulantes 5 e 6: Boca sensual e olhos gentis

Para descrever os lábios e olhos das mulheres, os homens costumam usar palavras como "úmidos", "sexy", "deliciosos", "convidativos", "suculentos" e "eróticos". As mulheres, porém, para descrever a boca e os olhos dos homens, usam palavras como "ternos", "sensíveis", "atentos", "protetores" e "carinhosos". Mas não são palavras usadas em sentido literal para descrever as características físicas observadas. As mulheres as usam para se referirem à sua percepção da *atitude* do homem. Eis uma prova adicional da diferença entre os sexos: os homens vêem as características em si mesmas, ao passo que as mulheres olham além, em busca de emoção.

Quanto aos olhos, os das mulheres têm mais branco do que os dos homens, porque o cérebro feminino é configurado como um instrumento de comunicação próxima. O branco do olho é um auxiliar da comunicação cara a cara, que permite que a pessoa monitore a direção do olhar do outro, obtendo indicações sobre a sua atitude. A maioria dos animais tem pouco ou nenhum branco no olho, porque o que procuram são os sinais corporais de outros animais a grandes distâncias.

Estimulante 7: Nariz e queixo fortes

O nariz, o queixo e o cenho fortes se formaram para proteger o homem de golpes no rosto durante a luta e a caçada, e assim permanecem até hoje como poderosos signos de masculinidade. Homens com altos níveis de testosterona têm queixos maiores e mais salientes. Empurrar o queixo para a frente é considerado um gesto de desafio. O queixo caído fica associado ao medo e à perplexidade e não é popular entre as mulheres.

Desde os tempos de Roma, o tamanho do nariz do homem é associado ao tamanho do pênis, mito que, não é corroborado pelas pesquisas. A única coisa que o nariz tem em comum com o pênis é a forma como ele se salienta na parte da frente do corpo. O que se descobriu, no entanto, é que o nariz do homem, da mesma forma que o pênis, se enche de sangue no estado de excitação sexual e tem sua temperatura aumentada em cerca de seis graus.

Estimulante 8: Quadril estreito e pernas musculosas

As pernas potentes e angulosas dos machos humanos são as mais longas dentre todos os primatas. Os quadris estreitos permitem que os homens percorram velozmente longas distâncias nas caçadas e perseguições. Os quadris largos fazem com que muitas mulheres tenham dificuldade de correr, porque os tornozelos e os pés saem de lado para equilibrar o peso do corpo. O grande neuropsicólogo norte-americano Dr. Davendra Singh descobriu que, para as mulheres, os homens que têm uma proporção cintura/quadril de 90% são os mais atraentes. As pernas do homem são atraentes para as mulheres apenas como signos do poder e da resistência masculinos.

Estimulante 9: Ausência de barriga

Em épocas remotas, quando a comida era escassa, a barriga volumosa era um símbolo de status, porque demonstrava que seu portador tinha recursos para comer quanto quisesse. Na sociedade moderna, em que o alimento é abundante, uma pança proeminente é vista como sinal de negligência e pouca consideração pela saúde pessoal. Músculos abdominais bem definidos nunca foram objeto de especial admiração na anatomia masculina. Essa opinião foi construída pelas academias de ginástica e fabricantes de equipamentos, que tentam a todo custo nos convencer que não podemos viver sem um abdome atlético.

Estimulante 10: Pênis grande

Dentre todos os primatas, o homem é o que tem o maior pênis. Durante milhares de anos, o tamanho do pênis foi associado ao poder do homem e à sua perícia como amante, mas esse poder está mais na cabeça do que no órgão sexual. A despeito dos membros digitalmente ampliados que se pode ver nos sites da Internet, o pênis mais longo oficialmente registrado media 36 cm, e não há nenhuma relação entre o tamanho do corpo, do nariz, do pé e o tamanho do pênis. O pênis ereto mede em média 14 cm e o canal vaginal da maioria das mulheres tem 9 cm de comprimento, com o essencial de sua sensibilidade nos primeiros 5 cm. A verdade é que um homem com uma ereção de 8 cm é capaz de fazer melhor serviço do que um homem com uma de 18 cm, porque o pênis mais curto pode atingir o lugar certo com mais precisão. A euforia de certas mulheres ao verem homens de pênis grandes parece mais uma reação ao poder masculino aparente do que àquilo que o tamanho do órgão pode efetivamente realizar. Numa relação feliz, a mulher raramente leva em conta o tamanho do pênis. Nas separações dolorosas, porém, elas são às vezes levadas a dizer que os ex-parceiros têm pênis pequenos como forma de vingança.

O rapazinho estava apavorado com a primeira vez que ia fazer sexo com sua namorada, porque tinha certeza de que seu pênis era muito pequeno. Mas como não podia adiar para sempre, acabou convidando-a para ir ao seu apartamento. Lá chegando, ele abaixou a luz e começou a tirar a roupa. Depois, com cuidado, começou a despi-la e acariciá-la. Nervoso, ele afinal colocou o membro ereto na mão dela, desejando que ela não reparasse no tamanho. "Não, obrigada", ela disse, "eu não fumo."

A evolução não programou as mulheres para se excitarem sexualmente com a visão dos genitais masculinos, ao contrário do que ocorre com os homens. As revistas pornográficas masculinas mostram as mulheres com as pernas completamente abertas, em pé ou deitadas, de frente e de costas, ao passo que todas as tentativas de vender às mulheres imagens pornográficas de homens fracassaram. Só fazem sucesso junto ao público gay.

Estimulante 11: Barba de três dias

O homem é o único primata que tem pêlos significativamente mais longos no rosto do que no resto do corpo. Os pêlos dos macacos e chimpanzés têm o mesmo comprimento em todo o corpo. São os hormônios masculinos que causam o crescimento dos pêlos do rosto. Quanto mais alto o nível de testosterona do homem em determinado dia, mais rápido eles crescem. Conseqüentemente, a barba de três dias é um poderoso signo visual de masculinidade muitas vezes usado por homens para compensar sua cara de garoto. A maioria da mulheres concorda, por exemplo, que Tom Cruise é muito mais sexy com barba do que barbeado. Estresse e doença diminuem o nível de testosterona, razão pela qual o homem doente ou estressado não tem necessidade de se barbear com tanta freqüência. Já o homem que exibe ao meio-dia uma sombra de cinco da tarde dá a impressão de que está louco por ação.

O que as mulheres querem a longo prazo

Eis aqui o resultado das pesquisas sobre o que as mulheres esperam encontrar num homem.

O que as mulheres buscam num homem:

1. Personalidade.
2. Humor.
3. Sensibilidade.
4. Capacidade intelectual.
5. Corpo saudável.

Os homens têm duas listas: a da primeira vista e a do que buscam a longo prazo numa parceira. As mulheres, porém, só têm uma lista. Elas querem que os homens sejam atenciosos, inteligentes, bem-humorados, fiéis e compreensivos. Se o homem tem um corpo bonito, ela o vê como bônus, mas em geral isso não é uma prioridade. Ao contrário do homem, ela não toma a aparência como indicador do sentimento que ele tem por ela. Se o homem se veste mal ou começa a ficar barrigudo, ainda que a mulher não goste, raramente dá maior importância. Essa diferença fundamental entre homens e mulheres causa muita frustração e mal-entendidos em ambos os lados. A mulher deve entender que sua aparência é importante para o homem, podendo até afetar seriamente o relacionamento. Os homens precisam aprender que a mulher mede a profundidade do relacionamento pela atitude que eles têm com ela.

A mulher deseja um homem que seja terno, carinhoso e comunicativo, mas também forte, robusto e masculino. O problema é que ela não pode tê-lo, porque ele já tem namorado.

Enquetes e pesquisas já demonstraram como é importante para o homem a atratividade física da mulher, que ele julga, logo no primeiro encontro, em menos de dez segundos. Mas para a seleção de uma parceira permanente, ele usa um conjunto de critérios diferentes. A mulher gosta que seu homem seja atraente, mas sua forma física e aparência não são decisivas para seu trabalho e posição social. São um extra. A mulher começa e termina a seleção do parceiro com a mesma lista de critérios. Se o homem é capaz de fazê-la rir, se é sensível às suas necessidades, se sabe conversar sobre muitos assuntos, se tem planos de progredir continuamente e se ainda por cima é heterossexual, nunca irá lhe faltar programa.

Solução

Para se tornar um homem atraente, você precisa antes de mais nada trabalhar as suas técnicas de comunicação e relacionamento. Você precisa ouvir com interesse e empatia o que as mulheres têm a dizer, e isso é pura prática, não há escola que lhe ensine. Compre livros que falem sobre o modo de pensar e sentir das mulheres. Recomendamos o nosso *Por que os Homens Fazem Sexo e as Mulheres Fazem Amor?* e *O que as Mulheres Querem que os Homens Saibam*, de Barbara de Angelis. Depois, se for o caso, busque um emprego melhor, que lhe traga mais satisfação e onde você realize melhor seu potencial. As mulheres são atraídas por homens que demonstram estar indo para a frente, em busca de uma melhor posição na vida. Mesmo as mulheres auto-suficientes e financeiramente independentes se sentem atraídas por homens que se apresentem como bons protetores e provedores. O homem não precisa ser nenhum milionário, mas ter planos e objetivos e estar comprometido com eles. Entre para um curso que lhe permita expandir seus conhecimentos. Isso lhe permitirá conversar com as mulheres sobre uma variedade de assuntos. A dança sempre foi uma manifestação das preliminares eróticas femininas; portanto, matricule-se numa escola de dança logo que for possível.

E por fim matricule-se numa academia e entre em forma. Mude o corte do cabelo pelo menos uma vez a cada três anos e procure usar roupas que favoreçam sua aparência. Faça tudo isso por você mesmo e verá como vai ficar mais atraente para as mulheres.

Não há mais algum motivo para que o homem não tenha ou não faça as coisas que quer na vida – exceto desculpas. Não se queixe – simplesmente faça!

Capítulo 13

Quando o Caçador Pendura o Arco

A aposentadoria

Nos países desenvolvidos, a quantidade de pessoas em vias de se aposentar cresce a uma velocidade espantosa. Graças aos avanços da medicina, não apenas uma parcela maior da população vive o suficiente para se aposentar, como vive até muito tempo depois de se aposentar. O número de pessoas que viveram pelo menos 10 anos depois de se aposentarem dobrou nos últimos 60 anos.

Antes de 1940, somente uma pequena parcela da população vivia além dos 65 anos. Quem não tivesse conquistado a independência financeira, ou vivesse na pobreza, continuava trabalhando até morrer ou era sustentado pelos filhos.

Entre as décadas de 1940 e 2020, a expectativa média de vida no planeta terá crescido em mais de 50% – de 46 para 72 anos. No ano de 2020, mais de um bilhão de pessoas terão pelo menos 60 anos de idade.

Dentro de cada idoso há uma pessoa jovem pensando: "Que diabo aconteceu?"

Os países desenvolvidos são agora obrigados a dedicar uma parte crescente de seus orçamentos ao sustento e assistência à sua população de idosos.

Muitos países adotaram contribuições compulsórias para o sistema nacional de aposentadorias, mas o problema está na relação entre o número de contribuintes e o de aposentados. Nos Estados Unidos, por exemplo, a taxa caiu de 9:1 para 4:1 desde 1952. Em 2010, o Japão terá menos de duas pessoas trabalhando para cada aposentado, problema agravado pelo fato de os japoneses viverem hoje mais do que todos os povos do mundo. A expectativa de vida das mulheres japonesas nascidas em 1993 é de 82,51 anos e a dos homens, 76,25.

Governos de todo o mundo enfrentam continuamente este problema. Instituições financeiras atuam pesado na venda de fundos de aposentadoria privada. As prateleiras das livrarias estão cheias de títulos sobre independência financeira e planejamento de aposentadoria. Mas há dois problemas aos quais não se dá a devida atenção: primeiro, os efeitos psicológicos da aposentadoria sobre os homens e, segundo, os efeitos da aposentadoria sobre os relacionamentos e a forma de as mulheres lidarem com seus parceiros.

Graham

Graham pensava que aposentar-se e ir morar na praia seria como desfrutar férias permanentes. Iria passar os dias numa idílica bem-aventurança – tomando sol, nadando, comendo fora, dormindo tarde e relaxando. E nos primeiros poucos meses foi exatamente o que fez. Mas, pouco a pouco, a melancolia da aposentadoria começou a pesar. Graham passou a compreender a diferença entre tirar uns dias de férias, encaixados numa intensa agenda profissional, e desfrutá-los pelo resto da vida.

Como para a maioria dos homens, o trabalho fora o foco da vida de Graham. Durante mais de 40 anos ele acordara todos os dias sabendo exatamente o que havia para fazer. Agora, pela primeira vez, ele tinha a sensação de não ter nada para fazer. E começou a se preocupar com o problema de como preencher todo esse tempo livre. No trabalho ele era conhecido e respeitado.

Ocupava uma posição importante, comparecia a muitas reuniões, treinava novos funcionários e resolvia os problemas de todo mundo. Na praia, porém, ninguém o conhecia nem queria a sua opinião para nada. Perdera prestígio. Sentia falta do envolvimento profissional com as pessoas e do estímulo mental diário que isso lhe proporcionava.

De repente, ele se deu conta de que saltara de um trem expresso no trabalho para um bonde puxado a burro na praia. Em vez de fazer malabarismos com dois ou três problemas para ganhar tempo, ele agora cozinhava os assuntos para preencher o tempo. O chamado que ele esperava receber da empresa para continuar prestando seus indispensáveis serviços como assessor especial nunca veio. Durante algum tempo ele se manteve em contato com os colegas de trabalho, mas os telefonemas foram rareando. Antes ele fora o Dr. Importante – agora era o Homem Invisível.

Sofrendo agudamente essa abrupta perda de identidade, Graham começou a solicitar de Ruth, sua mulher, mais e mais atenção, a pegar no pé dela e empatar-lhe a vida. Seu refrão preferido era: "O que tem para o almoço?" Antes de se aposentar, Ruth era livre para fazer o que queria. Agora era obrigada a cuidar de Graham a cada minuto de seu dia. Cada vez que ouvia seu nome gritado pelo marido, se arrepiava de irritação. O relacionamento começou a sofrer com a pressão.

Com a vida sedentária, Graham começou a engordar. Quanto menos fazia, menos tinha vontade de fazer. Cansou de tomar sol, nadava pouco e raramente se ocupava com alguma coisa no jardim. Quando trabalhava, sofria uma espécie de estresse estimulante. Agora, o estresse era de outra qualidade e vinha misturado com depressão. Graham desconfiava que sua saúde estava sofrendo, mas não falou com ninguém sobre o assunto.

Um dia, dezoito meses depois da sonhada aposentadoria, Graham sofreu um ataque cardíaco fulminante.

Gênero e aposentadoria

A maneira como homens e mulheres lidam com a aproximação da aposentadoria e da terceira idade lança luzes sobre a diferença que existe entre suas estruturas mentais.

Como as mulheres constituem de 40 a 50% da força de trabalho moderna, era de se supor que os problemas psicológicos associados à aposentadoria fossem os mesmos para ambos os sexos. Mas, devido a suas estruturas mentais e prioridades específicas, a experiência da aposentadoria é notavelmente diferente nos dois casos. Para muitos homens ela é um desastre incontornável e pode até contribuir para uma morte prematura.

Muito se tem pesquisado e escrito sobre os problemas que enfrentam os homens aposentados, mas pouca pesquisa se faz sobre as mulheres aposentadas e as que não trabalham porque têm a missão de cuidar de um aposentado.

Quando o caçador pára de caçar

Durante pelo menos cem mil anos os homens acordavam de manhã e saíam à procura de alimentos para suas famílias. A contribuição masculina para a sobrevivência da espécie era clara e simples – encontrar um alvo comestível e acertá-lo. Por isso, como dissemos, a evolução do cérebro masculino privilegiou as áreas que lhe permitiam desempenhar essa tarefa com sucesso: aquelas usadas para medir velocidades, ângulos, distâncias e coordenadas espaciais. Essas são também as áreas usadas pelo homem moderno para tarefas como estacionar em marcha à ré, ler mapas, andar em auto-estradas, programar aparelhos de vídeo, jogar esportes com bola e atingir alvos móveis. Em termos simples, é a parte caçadora do cérebro. As imagens abaixo, feitas a partir de exames cerebrais de 50 homens e 50 mulheres, mostram (em negro) as áreas espaciais ativas do cérebro.

Também, como já vimos, a mulher evoluiu como defensora do ninho e da prole – seu papel era garantir a sobrevivência da geração seguinte. O cérebro feminino evoluiu, portanto, com áreas de força capazes de lidar com essas tarefas – atingir uma zebra correndo a 30 metros de distância nunca foi parte de suas responsabilidades. Isso ajuda a explicar por que a imagem do cérebro feminino mostra um nível mínimo de atividade nas áreas espaciais.

As áreas do cérebro usadas para caçar. Instituto de Psiquiatria, Londres, 2000.

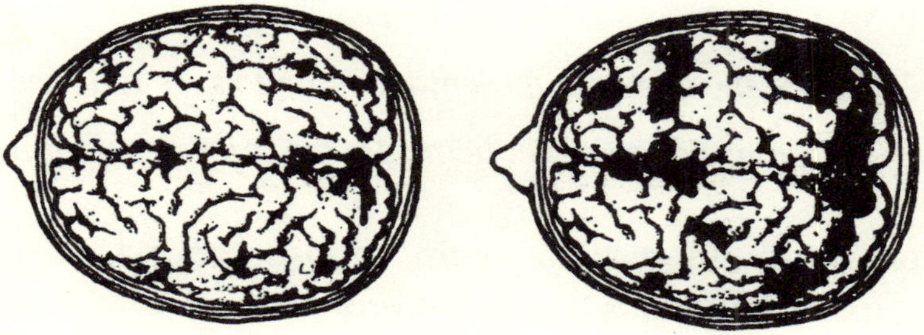

Mulher *Homem*

O caçador ancestral foi compulsoriamente aposentado

No final do século dezoito, o progresso das técnicas agrícolas fez com que caçar para alimentar-se deixasse de ser prioridade. Para lidar com a frustração de não mais ser solicitado a perseguir e acertar alvos, os homens adotaram dois substitutivos – o trabalho e o esporte. Ambos envolvem os principais aspectos da caçada – rastrear, perseguir, fazer pontaria e atingir o alvo.

Conseqüentemente, 90% de todos os modernos esportes com bola originaram-se entre 1800 e 1900 como substitutivo para a caçada. É por isso, repetimos, que a maioria dos homens, ao contrário das mulheres, tem obsessão pelo trabalho e pelos esportes.

Os esportes modernos são uma forma de substituir a caçada.

Então o século XX desferiu sobre os homens um golpe ainda maior: a aposentadoria. Com ela, eles não apenas deixaram de ser solicitados a atingir alvos móveis, como deixaram de ser solicitados para qualquer coisa. E aqui reside o grande problema do moderno homem aposentado: seu cérebro de caçador, ainda claramente configurado, está literalmente ocioso. Ele está todo vestido e não tem aonde ir. E mais, está sentado numa praia distante onde ninguém o conhece nem lhe dá a mínima.

Você percebe que está aposentado quando sabe todas as respostas mas não tem ninguém para lhe fazer as perguntas.

Como as mulheres lidam com a aposentadoria.

Ao contrário dos homens, as mulheres tendem a se mover sem problemas em direção à aposentadoria. Elas apenas "seguem sua vida". Os homens sempre se definiram por seu trabalho e suas *realizações*; as mulheres, em geral, se atribuem valor pela qualidade de seus *relacionamentos*. Estudos sobre valores masculinos e femininos mostram que 70 a 80% das mulheres dizem ter como principal prioridade a família. Em conseqüência, as mulheres aposentadas mantêm seus círculos sociais construídos ao longo dos anos ou têm facilidade para renová-los. Podem passar o tempo extra fazendo as coisas que sempre fizeram ou assumir desafios para os quais nunca tiveram tempo durante a vida profissional. Ouvimos de várias mulheres aposentadas que sua vida atual é tão ocupada, que elas se perguntam como conseguiam dar conta de tudo quando trabalhavam.

Os homens valorizam as realizações, as mulheres, os relacionamentos.

Muitas mulheres aposentadas se associam a grupos de interesse ou desenvolvem novos hábitos. Umas voltam a estudar, outras passam mais tempo cuidando dos outros, outras ainda entram para clubes da terceira idade e usufruem o lazer que lhes faltou durante o período em que o trabalho profissional, aliado às tarefas domésticas, deixava muito pouco tempo para a diversão. E fazem isso com a maior alegria, sem se sentirem ociosas ou inúteis.

As escolhas da mulher quase sempre envolvem interação com outras pessoas. A identidade da mulher é multifacetada. Ela pode se dedicar a trazer dinheiro para casa, a cuidar da família, a ser mãe, avó, dona-de-casa, amiga dos amigos, acompanhante, esposa e amante, a qualquer momento, e às vezes tudo isso ao mesmo tempo. Quando seu papel de provedora termina, a mulher prossegue com as outras facetas de sua vida. Em outras palavras, a mulher conserva a sua identidade. Na grande maioria das vezes não há drama. Ela simplesmente dá continuidade às suas coisas. A mulher nunca se aposenta.

Peter e Jennifer

Jennifer queria muito se aposentar com seu marido Peter. Seria a oportunidade de fazerem tudo que sempre tinham sonhado. Os filhos estavam casados e finalmente a vida de Jennifer e Peter era só dos dois. E embora já estivessem casados há 25 anos, Jennifer tinha às vezes a impressão de que não conhecia bem o marido. Ele estivera sempre trabalhando arduamente, viajando muito, exausto quando chegava em casa. Agora, ela achava que teriam tempo para se conhecerem outra vez. Seria quase como uma segunda lua-de-mel.

Ela recebeu sua aposentaria com genuína emoção. Trabalhara como enfermeira quase toda a sua vida, um trabalho estressante e mal pago, com poucas oportunidades de progresso profissional. Além disso, precisara combinar o trabalho com a educação dos filhos, o que tinha deixado pouco tempo para si mesma. Agora, com a aposentadoria, ela se sentia livre.

Mas Peter, depois que finalmente se aposentou, parecia estar o tempo todo de mau humor. Nunca queria fazer nada, ficava em casa se lastimando interiormente de ter sido descartado, da forma como a empresa estava indo muito bem sem ele e da pouca freqüência com que os colegas de trabalho recorriam à sua experiência e a seus conselhos. Jennifer sabia que ele estava deprimido, mas não conseguia convencê-lo a expressar seus sentimentos. Era como se ele a tivesse excluído por completo de sua vida.

No início ela ficava em casa com ele, desejando ajudá-lo. Mas aos poucos cresceu em Jennifer um ressentimento: Peter estava tornando a aposentadoria dela tão infeliz quanto a dele próprio. Ela começou a sair mais com as amigas. Nadava com um grupo três vezes por semana, aprendeu a jogar tênis e assistia a aulas de arte. Depois, entrou para um curso de italiano. Passava cada vez menos tempo em casa.

"Sabe", ela disse a uma amiga íntima, "estou adorando ser aposentada. A única coisa que eu detesto é ter de voltar para casa no fim do dia. Tenho pena do Peter, mas estando tanto tempo juntos pela primeira vez na nossa vida, percebo que temos muito pouco em comum. Hoje eu nem sei se ainda o amo e nem se quero mais ficar com ele."

Lidar com um homem aposentado é muitas vezes um dos maiores problemas que a mulher enfrenta. Pode causar brigas, lágrimas e até separação. Ele parece estar sempre "pegando no pé" e até querendo tomar conta da vida dela, tratando-a como se fosse um de seus ex-empregados, vindo com soluções e conselhos quando ela não está interessada. E, freqüentemente, parece invejar a alegria da mulher e culpá-la por sua infelicidade.

Eram um casal de 70 anos que sempre teve ótima saúde devido à insistência da mulher com a alimentação saudável e exercícios. Um belo dia, morrem os dois num acidente de automóvel. Na porta do paraíso, São Pedro lhes apresenta à sua nova vida.

E lhes mostra uma mansão fabulosa. "Mas quanto isso vai custar?", pergunta o homem. "Nada", responde São Pedro. "É de graça. Aqui é o céu."

Mostra-lhes em seguida um maravilhoso campo de golfe atrás da mansão. "Mas quanto custa entrar para sócio?", pergunta o homem. "Nada. É de graça. Aqui é o céu."

E por fim os leva ao restaurante local e lhes mostra o menu, cheio de pratos deliciosos, com vários tipos de molho cremoso. "Mas nós só comemos comida sem gordura, com pouco sal, sem derivados de leite e de baixa taxa de colesterol", diz o homem. "Não se preocupe", diz São Pedro, "aqui é o céu. Não há calorias no céu. Vocês podem comer quanto quiserem que ainda estarão magros e saudáveis." Ao ouvi-lo, o homem se vira, indignado, para a esposa. "Sua desgraçada!", ele berra com ela. "Se você não insistisse para a gente comer comida saudável e fazer exercícios, nós poderíamos ter chegado aqui dez anos antes!"

Por que os homens não conseguem lidar com a aposentadoria?

A perda do trabalho não é a principal causa de todo o estresse quando o homem se aposenta. É a perda de algo bem maior – a identidade. A mulher cuja identidade também esteve fortemente ligada ao desempenho profissional pode experimentar uma sensação semelhante.

Quando a aposentadoria se aproxima, é comum o homem negar que a sua vida profissional esteja para se encerrar. Ele acha que tem tanto conhecimento e experiência, que o patrão e os sócios não poderão passar sem o seu talento, e vão chamá-lo para continuar trabalhando. Quando isso não acontece e ele constata que a empresa pode passar muito bem sem ele, o choque é muito intenso.

Incapazes de encarar a situação, os homens se agarram à idéia de que vão se tornar consultores. Parece um passo que vale a pena. De um lado, não haverá longas horas de trabalho. De outro, eles ainda serão peças importantes na engrenagem. Estarão "à disposição" para voltar ao trabalho e resolver problemas cuja solução depende de seu conhecimento e experiência. Mesmo aqueles que não gostavam muito sua atividade profissional ainda querem que seu "grupo de caça" os chame para continuar a tarefa.

O homem gosta de pensar que seu "grupo de caça" ainda precisa dele.

Para a maioria, porém, isso raramente acontece. A nova geração tem suas próprias idéias e soluções e quer se sentir livre para implementá-las e testar novos modos de resolver as coisas. Muitas vezes o afastamento daquele que vêem como um velho funcionário representa um alívio.

Por que tantos homens descem a ladeira tão rápido?

No período imediato ao desligamento, alguns homens acham que vai ser tranqüilo. Mas, a menos que tenham se preparado cuidadosamente, as coisas raramente continuam como nessa fase de lua-de-mel. A perda repentina dos amigos e colegas, da rotina que preenchia seus dias, de seu status e senso de importância pode rapidamente levar à depressão.

A perda de identidade é para o homem, sob muitos aspectos, similar à morte de um ente querido. Começa pela *negação*, é seguida pela *depressão*, pela *raiva* e, se tudo vai bem, pela *aceitação*.

A depressão pode chegar sem ser notada. Primeiro, o aposentado se decepciona com sua nova vida e começa a se retrair, perder vitalidade e ficar inativo. O sentimento de rejeição e inutilidade pode levar ao decréscimo da libido, agravando o quadro. Ele relaxa na alimentação, começa a beber e, em alguns casos, até se drogar. Fica gripado e contrai doenças menores com freqüência. Às vezes fica pensando, ressentido, nas coisas que não realizou. É fundamental identificar esse estágio depressivo que, se não for superado ou tratado com a ajuda de um profissional, pode se tornar permanente. O resultado é uma vida apática, infeliz e, sobretudo, mais curta.

Aposentados que não planejaram sua vida estão constantemente doentes.

Sinais de angústia são geralmente a primeira indicação de que o estágio da depressão está em curso. O aposentado culpa os outros por seu sofrimento: sua parceira e família tornam-se muitas vezes o alvo, porque "Não entendem como eu me sinto". Culpa o ex-patrão por não tê-lo preparado para a aposentadoria, por não chamá-lo para prestar uma assessoria e sente-se uma vítima. Essa raiva é às vezes descarregada como desejo de assumir a direção da casa, especialmente as finanças e a programação das atividades sociais e familiares. Ele agora quer ser o diretor-executivo da família.

Essas intromissões podem ser insuportáveis para sua parceira, sobretudo pela forma como são feitas, e as brigas começam a acontecer.

Barry e Yvonne

Barry se qualificou como contador aos 20 anos e aos 25 já trabalhava por conta própria. Sempre fora viciado em pesquisas, adorava dados e cifras e era muito bem-sucedido na administração do tempo. Quando decidiu se aposentar, aos 50 anos, era dono de uma bem-sucedida empresa. Patrão de si mesmo, ele se achava o melhor do ramo.

Barry sempre fora fascinado pela idéia de se aposentar e poder passar todo o tempo com os filhos e netos e viajando com Yvonne. Mas a aposentadoria de Barry rapidamente se transformou no pior dos pesadelos de Yvonne.

Barry agora queria ser o diretor-executivo da casa. E como se não bastasse, queria controlar tudo o que a mulher fazia! Ofereceu-se para assumir as finanças da família e deu a Yvonne um orçamento para a alimentação; queria saber por que ela gastava tanto em coisas que ele julgava desnecessárias. Apesar de não ter problemas de dinheiro, ele queria saber aonde ia cada centavo e por quê. Isso foi deixando Yvonne louca.

Ela adorava fazer compras, mas agora Barry decidira que fariam compras juntos e que haveria uma agenda definindo de antemão aonde iriam e o que iriam comprar. Se Yvonne fosse a uma loja que não estivesse na agenda, Barry queria saber a razão – acaso ela já não tinha sapatos e roupas suficientes? Chegou ao cúmulo de acompanhar Yvonne na compra de um sutiã novo, sentando-se na "cadeira-do-marido-entediado" do lado de fora do provador. Enquanto Yvonne experimentava rapidamente os sutiãs – para que ele não se aborrecesse com a espera –, Barry recolhia informações sobre sutiãs com funcionários e clientes. Descobriu quantos sutiãs cada uma das pesquisadas tinha, a razão da quantidade, do preço alto, quanto tempo duravam e um monte de outros dados estatísticos. Depois de analisá-los, Barry concluiu que sua mulher só precisava de dois sutiãs. Mais do que isso era desperdício de dinheiro. Para Yvonne, foi demais. Nesse dia ela não comprou nenhum sutiã – decidiu voltar mais tarde, sozinha.

Barry achava que os dias de Yvonne seriam muito mais proveitosos se ela praticasse uma efetiva administração de seu tempo, razão pela qual lhe pediu que organizasse uma agenda horária, começando às 8 da manhã. Yvonne se sentia uma interna num campo de concentração, absolutamente cerceada e controlada por um marido maníaco e autoritário. Começou então a sair de casa para fugir do domínio do marido. "Barry precisa arranjar uma vida própria", ela dizia aos amigos, "e eu quero a minha vida de volta!"

Um casal de aposentados estava sentado à mesa do jantar conversando sobre a velhice. "O pior", dizia a mulher, "é o esquecimento."

"Como assim?", perguntou o marido.

"Ora, eu estou no meio de uma coisa e esqueço o que estava fazendo", ela respondeu. "Uma dia, na semana passada, eu estava no alto da escada pensando se tinha acabado de chegar em cima ou se estava começando a descer."

"Hum!", disse o homem. "Eu nunca tive esse tipo de problema."

A mulher sorriu com tristeza. "Aí, ontem eu estava sentada no carro me perguntando se tinha acabado de entrar para ir a algum lugar ou se tinha acabado de chegar em casa e estava saindo do carro."

O homem grunhiu: "Não, eu nunca passei por algo assim", ele insistiu. "Minha memória é perfeita, bate na madeira."

E deu duas batidinhas na mesa. Depois olhou intrigado para a porta e perguntou:

"Quem é?"

Os aspectos negativos da aposentadoria

Quando o casal começa a brigar por causa das diferenças de aptidão e dos diferentes papéis que cada um desempenha, há o perigo de começarem a se sentir incompatíveis. A mulher pode se magoar com o que lhe parece ser uma intromissão naquilo que para ela é uma vida feliz e ordenada. Talvez seja a primeira vez na vida em que ela veja o marido todos os dias no café da manhã, no almoço e no jantar. Ele fiscaliza e dá ordens, solicitando-a para várias tarefas e colaborando muito pouco no serviço da casa. A raiva e o ressentimento começam a crescer dentro dela, e quando se manifestam – em geral de uma forma exasperada – o homem se sente rejeitado, incompreendido e desvalorizado. As coisas podem se agravar tanto, que levam à separação e até ao suicídio.

Os homens que sobrevivem aos primeiros três estágios da aposentadoria geralmente acabam por aceitar essa nova fase da vida e assumem o desafio de planejar uma nova vida, útil e feliz.

A identificação desses estágios é crucial, e o homem que não se planejou para a aposentadoria pode levar muitos anos para superá-los. Caso encontre dificuldade, é bom recorrer ao aconselhamento profissional para evitar que as atitudes negativas se eternizem, resultando em solidão e infelicidade.

Homens ocupados em atividades estressantes e que ao se aposentarem não fazem nada morrem cedo.

Na sociedade ocidental, a expectativa de vida do homem que ao se aposentar não encontra uma ocupação que o interesse é em média cinco anos. O homem passa de 30 a 40 anos de sua vida profissional num ambiente rigidamente estruturado e orientado para objetivos. A sua aposentadoria, portanto, precisa ter um pouco dessa qualidade, sobretudo porque, com a crescente tendência de aposentadoria precoce, maior expectativa de vida e melhor saúde, é provável que o período da aposentadoria seja mais longo. A diferença crítica entre essas duas épocas da vida do homem é que na aposentadoria é ele quem está totalmente no controle e irá tomar as decisões que o afetarão pelo resto da vida.

Um plano de ação

A época certa para começar a planejar é muitos anos antes da aposentadoria. Para começar, é necessário tomar consciência de que sua identidade não pode estar ligada predominantemente ao setor profissional e à aprovação que recebe dos outros. Multiplique seus interesses durante a vida de trabalho, encontre prazer em atividades independentes das atividades profissionais, desenvolva um círculo de amigos fora do ambiente de trabalho. Comece a pensar desde já no que gostaria de fazer se tivesse tempo disponível, o que inclui estudar, ler todos os livros que se acumularam em sua estante, ouvir música, dedicar-se a um hobby, aprender uma nova habilidade, desenvolver um talento que ficou desaproveitado porque você estava absorvido por sua carreira. Há uma enorme gama de alternativas de prazer à sua espera. Comece a desenvolvê-las, na medida do possível, desde já.

Estudos mostram que quanto mais cedo você planeja a sua aposentadoria, melhor saúde terá e mais tempo irá viver.

Você deve encarar a sua aposentadoria como faria com qualquer grande projeto. Comece a anotar tudo o que lhe interessa, os lugares que gostaria de conhecer, as atividades que poderia desenvolver, as matérias que desejaria estudar. Você não imagina como é deliciosa a experiência de voltar à faculdade, onde irá conviver com pessoas mais jovens e descobrir o quanto a experiência de vida lhe ensinou. Discuta seus planos com sua parceira, porque ela é a pessoa que vai compartilhá-los com você. Tomem consciência do que vai significar essa nova fase de vida em termos de convivência para se prevenirem em relação aos problemas que poderão surgir.

Saúde

O tempo disponível da aposentadoria pode ser aproveitado para um investimento na sua saúde. Faça um check-up completo, procure um nutricionista que programe uma dieta alimentar prazerosa e saudável, faça a ginástica que maior prazer lhe der, caminhe, nade, dance, ande de bicicleta. As possibilidades são inúmeras. Mas não se dedique a tudo isso como se fosse uma mera obrigação ou uma atividade destinada só a preencher o tempo vago. Conscientize-se de que você está investindo no seu bem-estar, na sua auto-estima, que está se dando um presente que não podia se conceder por falta de disponibilidade. Quanto maior a freqüência com que se exercitar, mais irá viver e melhor será a qualidade da sua vida.

Trabalho social e comunitário

Podemos lhe garantir que poucas coisas gratificam tanto quanto a dedicação aos que necessitam. Talvez seja necessário um esforço inicial para vencer a resistência, mas, uma vez iniciado, o trabalho social e comunitário dá um imenso sentimento de satisfação e autovalorização.

É importante que você descubra em que campo se sente melhor e mais útil, e que se ligue a uma instituição onde sinta afinidade com as pessoas que trabalham nela. Qualquer que tenha sido a sua trajetória, você deve possuir habilidades que podem ser utilizadas ou transmitidas a outras pessoas. O simples ato de visitar doentes em hospitais, velhos em casas de repouso, crianças em orfanatos vai lhe trazer uma gratificação surpreendente. Comece a pesquisar desde já, converse com amigos, procure a igreja local. É assim que você vai descobrir onde seu talento pode ser aplicado.

Espiritualidade

É também tempo de dedicar-se a um campo que talvez tenha sido ignorado nos anos de atividade profissional: o da espiritualidade. As exigências materiais do dia-a-dia nos afastam dessa dimensão tão essencial no ser humano e que responde ao seu anseio mais profundo. A aposentadoria oferece esse espaço para pesquisar mais e descobrir um grupo, uma crença, ou atividades que desenvolvam sua espiritualidade, dando um novo sentido à vida.

Sexo

Uma vida feliz e saudável precisa incluir também uma vida sexual satisfatória. A relação sexual na terceira idade será uma continuação do que foi durante a vida do casal, apesar dos limites que a idade trará. O importante é que esses limites sejam tratados com honestidade, abertura, afeto, pois a vida sexual não pode ser separada do restante da relação. Falem sobre o assunto com a maior franqueza possível, descubram novos estímulos, procurem ajuda se for necessário. E lembrem-se: todo o corpo – e não apenas os genitais – pode ser fonte de prazer. Explorem essas possibilidades com o conhecimento que têm um do outro e com o amor que cada um merece depois de tantos anos de companheirismo.

Paul e Dana

Paul era gerente de contas e sua vida profissional sempre fora cheia de objetivos, prazos e metas. Ele achava que se aposentaria aos 65 anos. Mas quando fez 57 sua empresa foi comprada e ele se tornou dispensável da noite para o dia.

Sua esposa Dana se aposentara três anos antes e ansiava pela aposentadoria do marido. Ela estava desfrutando bastante a sua aposentadoria, pois agora tinha tempo para fazer coisas que sempre quisera e desejava compartilhar com Paul a sua felicidade recém-descoberta.

Mas Dana ficou alarmada ao ver a tristeza de Paul com a aposentadoria forçada. Ele começou a beber demais e estava deprimido. Dana resolveu então procurar aconselhamento profissional e convenceu Paul a procurar um consultor especializado em lidar com homens aposentados. O consultor ajudou Paul a entender as razões do que sentia e mostrou-lhe como administrar essa nova fase de sua vida. Paul aceitou os desafios que o consultor lhe apresentou.

O primeiro passo foi fazer um exame de saúde completo. O segundo foi procurar um consultor financeiro. O terceiro foi viajar com Dana para relaxar e planejar o resto de suas vidas.

O check-up mostrou que Paul estava bem, a não ser por um pequeno excesso de peso e a pressão e o colesterol ligeiramente acima do normal. Um médico especialista lhe ensinou novos hábitos alimentares e prescreveu um programa de exercícios.

Ao examinar a parte financeira, o consultor tranqüilizou Paul. Juntos fizeram um orçamento detalhado e verificaram que o fundo de garantia de Paul, combinado com algumas economias e investimentos, mais a sua pensão e a de Dana seriam suficientes para cobrir suas necessidades até o fim da vida.

Depois de todos esses conselhos, Paul sentiu que um grande peso tinha sido retirado de seus ombros. Ele e Dana saíram de férias com um ótimo estado de ânimo, porque haviam começado a planejar sua jornada – que poderia levar vinte anos ou mais para ser completada.

O próximo desafio era grande – decidir o que fariam pelo resto de suas vidas. Eles precisavam de um plano que levasse em conta tanto as necessidades de cada um, como as do casal.

Decidiram mudar os hábitos alimentares e passaram a caminhar todos os dias, durante pelo menos 45 minutos. Entraram para um clube de excursionismo e passaram a fazer passeios longos várias vezes por mês, o que os levou a conhecer pessoas novas. Matricularam-se numa aula de tai-chi, recomendada entusiasticamente por amigos. Dana já jogava tênis uma vez por semana e era membro da diretoria do clube. Fazia parte também de um grupo de artesanato e entrou para um curso de redação, porque gostava de escrever. Paul jogara golfe algumas vezes, mas, embora gostasse, nunca teve tempo de praticar regularmente. Como era sócio de um clube de golfe, decidiu experimentar.

As finanças eram suficientes para cobrir as despesas, mas não para extravagâncias. Como Paul tinha sido um excelente contador e gostava de ensinar, resolveu abrir um curso de contabilidade que lhe trouxesse um adicional de renda.

No grupo de oração que começaram a freqüentar, tomaram consciência de que tinham disponibilidade para dedicar-se a um trabalho social. Verificaram que sua maior realização fora ter criado quatro filhos felizes, ajustados e bem-sucedidos. Paul sempre se preocupara com o bem-estar dos adolescentes e entendia os problemas que eles enfrentavam quando lhes faltava suporte familiar. Resolveu então procurar um curso de aconselhamento à juventude para se tornar consultor de jovens. Dana, por sua vez, ofereceu-se para colaborar no jornal da associação de moradores de seu bairro.

Hoje, Paul e Dana são saudáveis e felizes, desfrutam a vida e ajudam os outros. São tão ocupados que precisam de uma agenda diária detalhada. A aposentadoria está se revelando o tempo mais feliz de suas vidas.

Nesta época em que o homem e a mulher estão mais juntos do que em qualquer outra em suas vidas, é muito importante que eles tenham aprendido as lições de *Por que os Homens Mentem e as Mulheres Choram?*. Pois só assim saberão viver felizes, em paz e com amor, entendendo os pontos fortes e fracos um do outro e sendo capazes de fazer do relacionamento uma fonte de alegria, felicidade e realização.

Acreditamos firmemente que as ferramentas apresentadas em *Por que os Homens Mentem e as Mulheres Choram?* podem ajudar todos os homens e mulheres a viverem vidas mais íntimas, gratificantes e sensuais. Usem essas ferramentas com sabedoria e amor. Boa sorte para vocês!

Agradecimentos

Gostaríamos de agradecer às seguintes pessoas que contribuíram direta e indiretamente, às vezes até involuntariamente, para a publicação deste livro. A equipe que fez conosco a caminhada foi composta por: Ruth e Ray Pease, Dorie Simmonds, Sue Williams e Trevor Dolby.

Bill & Beat Suter, Adam Sellars, Melissa, Cameron & Jasmine Pease, Len & Sue Smith, Fiona & Michael Hedger, Diana Ritchie, DR Desmond Morris, Prof Alan Garner, Gary Skinner, Dr Dennis Waitley, Mark Victor Hansen, Dr Themi Garagounas, Bert Newton, Geoff & Sallie Burch, Tony & Patrica Earle, Debbie Mehrtens, Deb Hinckesman, Dorreen Carroll, Andy & Justine Clarke, Kerri-Anne Kennerley, Frank & Cavill Boggs, Graham & Tracey Dufty, John Allanson, Sandra & Loren Watts, John Hepworth, Esther Rantzen, Ray Martin, Kaz Lyons, Victoria Singer, Graham & Josephine Rote, Emma Noble, Yvonne & Barrie Hitchon, Richard Cranium, Ivor Ashfield e Helen Richardson.

Bibliografia

ALDER, Harry., *NLP in 21 Days*, Piatkus (1999).

ALLEN, L. S., Richey, M.F., Chai, Y.M. e Gorki, R.A. "Sex Differences in the Corpus Callosum of the Living Human Being". *Journal of Neuroscience*, 11, pp. 933-942 (1991).

AMEN, Daniel G. *Change Your Brain, Change Your Life*. Times Books (2000).

ANDREWS, Simon. *Anatomy of Desire: The Science ans Psychology of Sex, Love and Marriage*, Little, Brown (2000).

AQUINAS, Thomas. *Summa Theologica*, traduzida por Fathers of the English Dominican Province. Londres: Burnes Oates & Washburn (1922). [Distingue os graus de torpeza dos vários tipos de mentira.]

ARONS, Harry. *Hypnosis in Criminal Investigation*. Illinois: Charles C. Thomas (1967).

AUGUSTINE. "A Mentira" e "Contra a Mentira", em *Treatises on Various Subjects*. R. J. Deferrari (ed.), Nova York: Catholic University of America Press (1952). [Proibição fundamental e muito influente de todas as formas de mentira.]

BAILEY, F. Lee e ARONSON, H. *The Defense Never Rests*. Nova York: Signet (1972).

BANDLER, Richard e GRINDER, John. *Frogs into Princes: Neuro-Linguistic Programming*. Moab, UT: Real People Press (1979).

BARRY, Dave. *Dave Barry´s Complete Guide to Guys*. Nova York: Ballatine Publishing Group (2000).

BART, Dr. Benjamin. *The History of Farting*. Heron (1993).

BEATTY, W. W. "The Fargo Map Test: A Standardised Method for Assessing Remote Memory for Visuospatial Information". *Journal of Clinical Psychology*, 44, pp. 61-67 (1989).

BEATTY, W. W. e TRUSTER, A. I. "Gender Differences in Geographical Knowledge". *Sex Roles* 16, pp. 565-590 (1987).

BELLI, Melvin. *My Life on Trial.* New York: Popular Library (1977).

BENBOW, C. P. e Stanley, J. C. "Sex Differences in Mathematical Reasoning Ability: More facts". *Science* 222, pp. 1029-1031 (1983).

BERENBAUM, S. A. "Psychological Outcome in Congenial Adrenal Hyperplasia", em *Therapeutic Outcome of Endocrine Desorders: Efficacy, Innovation and Quality of Life.* B. Stabler e B.B. Bercy (eds), pp. 186-99, New York: Springer (2000).

BERNE, Eric, M.D. *Games People Play.* Grove Press, Inc. (1964).

BLACK, H. "Amygdala's Inner Workings." *The Scientist*, 15 [19]:20, 1.º de Outubro (2001).

BLOCK, Eugene B. *Voice Printing – How the Law can Read the Voice of Crime.* Veronica School District 47J, Solicitante v. Waine Action, et ux, Guardians ad Litem para JAMES ACTON515 US, 132L Ed 2d 564, 115 S Ct - |No 94-590| US Supreme Court Reports, 132 L Ed (Drug Abuse Screening By Urinalysys Decision.) Argued March 28 (1995). Decidido em 26 de junho (1995).

BOK, S. *Lying: Moral Choice in Public and Private Life.* New York: Pantheon (1978).

BOTTING, Kate e Douglas. *Sex Appeal.* Londres: Boxtree Ltd. (1995).

BRASCH, R. *How Did Sex Begin?* New York: David McKay (1997).

BUDESHEIM, T. L. e DEPAOLA, S. J. "Beauty or the Beast? The Effects of Appearance, Personality and Issue Information on Evaluations of Political Candidates". *Personality and Social Psychology Bulletin*, 20, pp. 339-348 (1994).

BUSS, David M. *The Evolution of Desire.* Basic Books (1994).

BUSS, David M. e KENRICH, D. T. "Evolutionary Social Psichology" in *The Handbook of Social Psychology* (4.ª ed.) D.T Gilberts, S. T. Fiske e G. Lindzey (eds.) (Vol. 2, pp. 982-1026). Boston: McGraw-Hill (1998).

CARPER, Jean. *Your Miracle Brain*. Nova York: HarperCollins (2000).

CASTELLOW, W. A., WUENSCH, K. L. e MOORE, C. H. "Effects of Physical Attractiveness of the Plaintiff and Defendant in Sexual Harassment Judgements". *Journal of Social Behaviour and Personality*, 5, pp. 547-562 (1990).

CHANG, K. T. e Antes, J. R. "Sex and Cultural Differences in Map Reading". *The American Cartographer* 14, pp. 29-42 (1987).

COLE, Julia. *After the Affair*. Vermilion, G.B (2000).

COX, Tracey. *Hot Relationships*. Bantam, Australia (1999).

CRICK, Francis. *The Astonishing Hypothesis*. New York: Macmillan (1994).

DAWKINS, Richard, *The Blind Watchmaker*, New York: Norton (1987).

_________________. *The Selfish Gene*. (2.ª ed.), New York: Oxford University Press (1990).

DE ANGELIS, Barbara. *Secrets About MEN Every Woman should Know*. Thorsons, UK (1990).

DEDOPULOS, Tim. *The Ultimate Jokes Book*. Paragon Book Service Ltd, UK (1998).

DOWNS, A. C. e LYONS, P. M. "Natural observations of the Link Between Attractiveness and Intial Legal Judgements". *Personality and Social Psychology Bulletin*, 17, pp. 541-547 (1990).

EAGLY, A. H., ASHMORE, R. D., Makhijani, M. G. e LONGO, L. C. "What is Beautiful is Good But...: A Meta-Analytic Review os Research on the Physical Attractiveness Stereo-Type". *Psychological Bulletin*, 110, pp. 109-128 (1991).

EIBL-EIBESFELDT, I. *Ethology: The Biology of Behavior*. (2.ª ed), Nova York: Holt, Rinehart & Winston (1975).

EKMAN, Paul. *Telling Lies*. W.W. Norton (2002).

EKMAN, Paul e FRIESEN, W. V. *Unmasking the Face*. Lexington, M.A: Lexington Books (1975).

EVERHART, D. E. *et. al.* "Sex-Related Differences in Event-Related Potentials, Face Recognition and Facial Affect Processing in Prepubertal Children." *Neuropsychology*, 15, pp. 239-41, julho (2001).

FARRELL, Warren. *Women Can't Hear What Men Don't Say*. Australia: Finch Publishing (2001).

FAST, J. M. *Body Language*. New York: Evans and Company (1970).

FERRIS, Stewart. *How to Chat-up Women*. UK: Summersdale Publishers (1994).

FISHER, Helen. *Anatomy of Love*. New York: Norton (1992).

____________. *The First Sex*. Londres: Random House (1999).

FRENCH, Scott e VAN HOUTEN, Paul, PhD. *Never Say Lie – How to Beat the Machines, the Interviews, the Chemical Tests*. Boulder, Colorado: Palladin Press (1987).

FROMM, Erich. *The Forgotten Language*. New York: Grove Press, Inc. (1951).

GARNER, Alan. *Conversationally Speaking*. (2.ª ed.), Los Angeles: Lowell House (1997).

GLASS, Lilian. *He Says, She Says*. New York: Putnam (1992).

GRAY, John. *Mars and Venus in the Bedroom*. Austrália: Hodder & Stoughton (1955).

__________. *Men, Women & Relationship*. Austrália: Hoder & Stoughton (1995).

GREENFIELD, Susan. *Journey to the Centers of Mind*. New York: Basic Books (1998).

GRICE, Julia. *What Makes a Woman Sexy*. New York: Dodd, Mead, (1998).

GRON, G. *et. al.* "Brain Activation During Human Navigation: Gender-Different Neural Networks as Substrate of Performance". *Nature Neuroscience*, 3, pp. 404-8 (2000).

GROTIUS, Hugo. *On the Law of War and Peace*. Traduzido por F. Kelsey, Indianápolis: Bobbs-Merrill. (1925) [Define a mentira em termos dos direitos daqueles a quem a mentira é dirigida.]

GUR, R. C *et. al.* "An FMRI Study of Sex Differences in Regional

Activation to a Verbal and a Spatial Task". *Brain and Language*, 74, pp. 157-70 (2000).

____________. "Sex Differences in Brain Gray and White Mattter in Healthy Young Adults: Correlations with Cognitive Performance". *Journal of Neuroscience*, 19, pp. 4065-72 (1999).

HAMMERSMITH, D. e Biddle, J. E. "Beauty and the Labour Market". *American Economic Review*, 84, pp. 1174-1194 (1994).

HARRELSON, Leonard. *Lie Test: Decption, Truth and the Polygraph*. Partners Publishing Group (1998).

HEISSE, John W. Jr., M.D. *Audio Stress Analysis: A Validation abd Reliability Study of the Psychological Stress Evaluator* (PSE). Publicado pelo autor, Burlington, Vermont (1976).

____________. *Simplified Chart Reading*. Publicado pelo autor, Burlington, Vermont (1974).

____________. "The 14 Questions Modified Zone of Comparison Test." *Stressing Comments*, International Society of Stress Analysts, vol. 3, n.º 7, junho, pp. 1-4 (1975).

____________. *The Verimetrics Computer System: A Reliability Study*. Publicado pelo autor, Burlington, Vermont (1992).

HOGDSON, D. H. *Consequences of Utilitarianism*. Oxford (1967).

HOLDEN, Robert. *Laughter the Best Medicine*. Thorsons (1993).

____________. *Shift Happens*. Hodder & Stoughton (1998).

HORVATH, Frank, PhD. "Detecting Deception: The Promise and the Reality of Voice Stress Analysis". *Journal of Forensic Sciences*, JFSCA, vol 27, n.º 2, pp. 340-351 (1982).

HOYENGA, K. B. e Hoyenga, K. T. *Gender-Related Differences*. Allyn &Bacon, p. 343-345 (1993).

INBAU, Fred E. e Reid, John E. *Truth and Deception: The Polygraph ("Lie Detector") Technique*. Baltimore: The Williams & Wilking Company (1969).

JOHNSON, Gary. *Monkey Business*. Gower Publishing (1995).

JUAN, Dr. Stephen. *The Old Body and Brain*. Austrália: Harper Collins (2001).

KANT, Immanuel. "On a Supposed Right to Lie from Benevolent

Motives", em *The Critique of Practical Reason and Other Writings in Moral Philosophy*. Chicago: University of Chicago Press (1949).
KENTON, Leslie. *Ten Steps to a Young YOU*. Vermilion UK (1996).
KINSEY, A. C., POMEROY, W. B. e MAETIN, C. E. *Sexual Behaviour in the Human Male*. Philadelphia: Saunders (1948).
KNAPP, Mark. L. *Nonverbal Communication in Human Interaction*. Nova York: Hold, Rinehartm, Winston (1978).
KREEGER, K. Y. "Yes, Biologically Speaking, Sex Does Matter." *The Scientist*, 16 [1], pp. 35-6, jan 7 (2002).
KRIETE, R. e STANLEY, R. *A Comparison of the Psychological Stress Evaluator and the Polygraph*. Apresentada no Primeiro Seminário Annual da International Society of Stress Analysis, Chicago (1974).
KULKA, R. A. e KESSLER, J. R. "Is Justice Really Blind? The Effecto of Litigant Physical Atractiveness on Judicial Judgement". *Journal of Applied Social Psychology*, 4, pp. 336-381 (1978).
LEVAY, S. *The Sexual Brain*. Cambridge, Massachusetts: MIT Press (1993).
LEWIS, D. *Convention: A Philosophical Study*. Cambridge, MA: Harvard U.P. (1969).
MARSHALL, Hillie. *The Good Dating Guide*. UK: Summersdale Publishers (1998).
MAYNARD, Smith J. *The Theory of Evolution*. New York: Cambridge University (1993).
MCKINLAY, Deborah. *Love Lies*. Londres: HarperCollins (1994).
MILLER, Gerald R. e STIFF, James, B. *Deception Communication*. Newbury Park: Sage Publications (1993).
MOIR, Anne e JESSEL, David. *BrainSex*. New York: Dell (1992).
MORRIS, Desmond. *Bodywatching*. New York: Crown (1985).
________________. *People Warching*. UK: Vintage (2002).
________________. *The Naked Ape*. New York: Dell (1980).
NIERENBERG, Gerald, I. e CALERO. *How to Read a Person Like a Book*. New York: Cornerstone Library (1971).

O'NEILL, W.C. *Report of the Special Hearing Officer of the Secretary of State of Florida, Regarding Public Hearings of the Department of State of Florida: Psychological Stress Evaluation.* Florida, Secretary of State, Tallahassee, Florida (1974).

O'TOOLE, George. *The Assassination Tapes – An Electronic Probe into the Murder of John F. Kennedy and the Dallas Cover up.* New York: Penthouse Press Ltd. (1975).

PEASE, Allan. *Rude and Politically Incorrect Jokes.* UK: Robson Books (1999).

__________. *Signals: How to Use Body Language for Power, Success and Love.* New York: Bantam Books (1984).

PEASE, Allan, com GARNER, Alan. *Talk Language.* UK: Simon & Schuster (1998).

PEASE, Allan e Barbara. *Por Que os Homens Fazem Sexo e as Mulheres Fazem Amor?* Rio de Janeiro: Sextante (2001).

PEASE, Raymond e Dr. Ruth. *My Secret Life as a Gigolo.* Sydney: Pease International (2002).

PENNY, Alexandra. *How to Keep your Man Monogamous.* UK: Bantam Books (1990).

PLATT, Vanessa Lloyd. *Secrets of Relationships Success.* UK: Vermilion (2000).

PITTMAN, Frank. *Private Lies.* Norton (1990).

QUILLIAM, Susan. *Body Language Secrets.* HarperCollins (1997).

__________. *Sexual Body Talk.* New York: Carroll & Graff (1992).

REID, John E., INBAU, Fred E. e BUCKLEY, Joseph B. *Criminal Interrogation & Confessions.* Baltimore: Williams & Wilkins Co. (1986).

REINISCH, J. M., *et al.* (eds.) *Masculinity and Feminility, The Kinsey Institute Series.* Oxford University Press (1987).

RINGER, R. J. *Winning Through Intimidation.* Los Angeles: Fawcet Crest (1973).

ROFFMAN, Howard. *Presumed Guilty.* New York: A.S. Barnes and Company, Inc. (1976).

ROGER, L. J. *The Development of Brain and Behaviour in the*

Chicken. Wallingford: CAB International (1995).

ROGERS, Lesley. *Sexing the Brain*. Grã-Bretanha: Weidenfeld & Nicolson (1999).

SAMENOW, Stanton E. *Inside the Criminal Mind*. New York: Times Books (1984).

SCHIPP, Thomas, PhD e KRYZYSZTOF, Izdebski. "Current Evidence for the Existence of Laryngeal Macrotremor and Microtremor". *Journal of Forensic Sciences* (1980).

SHAYWITZ, B. A., *et al*. "Sex Differences in the Functional Organization of the Brain for Language." *Nature*, 373, pp. 607-9 (1995).

SHAYWITZ, Sally e Bennett. "How is the Brain Formed?" *Nature*, 373, pp. 607-609, (1995).

STAHELI, Lana. *Affair-Proof Your Marriage*. Staheli Inc. (1995).

STEIN, D. G. "Brain Damage, Sex Hormones and Recovery: A New Role for Progesterone and Estrogen?" *Trends in Neuroscience*, 24, pp. 386-91, julho (2001).

STEWART, J. E. II. "Defendant's Attractiveness as a Factor int the Outcome of Trials." *Journal of Applied Social Psychology*, 10, pp. 348-361 (1980).

TANNEN, Deborah. *Talking From 9 to 5*. New York: Morrow (1994).

________________. *That's Not What I Meant*. New York: Ballantine (1986).

________________. *You Just Don't Understand: Women and Men in Conversation*. New York: Morrow (1990).

TUCKER, Nita. *How NOT to Stay Single*. USA: Crown Publishers (1996).

WHITESIDE, Robert. *Face Language II*. Hollywood FL: Frederick Fell (1988).

WILSON, Glenn D. e Nias, David. *The Mystery of Love*. Londres: Open Books (1976).

WOLF, Naomi. *The Beauty Myth*. New York: Anchor (1992).

CONHEÇA OUTROS IMPORTANTES TÍTULOS DA EDITORA SEXTANTE

De Bradley Trevor Greive

Em Busca do Príncipe Encantado

Homens e mulheres bem poderiam ser de espécies diferentes porque têm comportamentos, manias e objetivos diametralmente opostos. Mesmo assim, desde que o mundo é mundo, eles não sabem viver longe um do outro.

Você ainda acredita que vai encontrar o homem ideal? Ou você é um candidato à vaga de príncipe encantado?

Neste livro, Bradley Trevor Greive usa e abusa do seu bom-humor ao combinar fotos e textos para retratar os perigos e prazeres dos relacionamentos e a dificuldade da mulher moderna de achar um parceiro à sua altura: um homem que não seja ciumento, não fuja de compromissos e, lógico, que beije bem.

De Dominique Glocheux

A Vida É Bela

Só se vive uma vez. Então é preciso aproveitar cada momento. Descobrir o valor das coisas simples, dos pequenos tesouros escondidos que tornam a vida bela. Este pequeno manual vai despertar idéias, sentimentos e desejos que estavam adormecidos. Abra as portas de seu coração e as janelas de sua alma, saboreando cada um dos 512 conselhos reunidos aqui. Conquiste sua felicidade!

De Neale Donald Walsch

Aprendendo a Conviver com Quem se Ama

Os relacionamentos são a experiência mais importante de nossa vida. Nós nos relacionamos o tempo inteiro com a família, com os amigos, com o trabalho e com nós mesmos. Nada nos dá tanta alegria quanto conviver com quem amamos. Mas também não há nada tão complicado e doloroso.

Em *Aprendendo a Conviver com Quem se Ama*, você vai encontrar ajuda para tentar construir relacionamentos mais felizes. Neste livro, o autor de *Conversando com Deus* relata seu encontro com um grupo de quarenta pessoas, em que expõe idéias simples que descobriu a partir de sua própria experiência e sobretudo de seu diálogo com Deus.

De Iyanla Vanzant

Enquanto o Amor não Vem

Haverá um momento em sua vida em que o amor vai chegar. Antes disso, você terá feito tudo o que podia, tentando tudo o que podia, sofrido o quanto podia e desistido muitas vezes.

Mas com a mesma certeza com que você está lendo este texto, posso lhe garantir que esse dia virá.

Nesse meio-tempo, este livro vai lhe contar muitas histórias e lhe ensinar algumas coisas que você pode fazer para se preparar para o dia mais feliz de sua vida: o dia em que experimentará o amor verdadeiro.

De David Niven

Os 100 Segredos das Pessoas Felizes

Não existe a menor dúvida: ser feliz é o desejo de todo ser humano. Mas o que é ser feliz e como fazer para atingir a felicidade com que todos sonhamos?

Baseado nas pesquisas de cientistas junto a milhares de pessoas, David Niven organizou a lista dos cem segredos mais simples que são realmente capazes de tornar as pessoas felizes.

E como a leitura de um complicado tratado científico pode ser causa de infelicidade, esses segredos estão aqui colocados de forma interessante e com exemplos que vão nos fazer identificar as situações descritas e compreendê-las.

De Hugh Prather

Não Leve a Vida tão a Sério

A vida não precisa ser tão complicada quanto insistimos em torná-la. A simples decisão de não se agarrar aos problemas pode melhorar – e muito – nossas vidas. É isso o que Hugh Prather nos mostra, com humor e clareza, neste livro.

Ele escreve sobre as dificuldades do dia-a-dia e nos dá ferramentas para contorná-las, mudando o que há de mais importante na vida: nossa atitude mental e a forma de reagir aos inevitáveis contratempos.

Seus ensinamentos são baseados em histórias reais que nos deixam com a sensação de já ter passado por aquela situação ou testemunhado algo parecido. Você aprenderá soluções práticas para dar um basta às preocupações e ao medo, e se libertar de tudo aquilo que impede sua felicidade.

Bradley Trevor Greive

Um Dia "Daqueles"

Querida Mamãe, Obrigado por Tudo

O Sentido da Vida

A Incrível Verdade Sobre as Mães

Max Ehrmann

Desiderata – Um Caminho para a Vida

Bob Nelson

Faça o que Tem de Ser Feito

Oriah Mountain Dreamer

A Dança

O Convite

Augusto Cury

Você é Insubstituível

Dez Leis para Ser Feliz

Revolucione sua Qualidade de Vida

Marcelo Camacho

1001 Razões para Gostar do Brasil

Iyanla Vanzant

Esperando o Amor Chegar

Ontem, Eu Chorei

Um Dia Minha Alma se Abriu por Inteiro

Dalai-Lama

Palavras de Sabedoria

O Caminho da Tranqüilidade

Cheryl Richardson
Sua Vida em Primeiro Lugar

Terry Burham e Jay Phelan
A Culpa É da Genética

Jack Canfield e Mark Victor Hansen
Histórias para Aquecer o Coração
Histórias para Aquecer o Coração 2
Histórias para Aquecer o Coração das Mães
Histórias para Aquecer o Coração dos Adolescentes
Histórias para Aquecer o Coração das Mulheres

Neale Donald Walsch
Aprendendo a Viver Plenamente
Aprendendo a se Relacionar com a Riqueza

Tony Parsons
Pai e Filho

Coleção Para Ler na Rede
A Economia do Ócio, Domenico de Masi
A Arte da Prudência, Baltasar Gracián

Bertrand Russell
O Elogio ao Ócio

Domenico de Masi
O Ócio Criativo

Informações sobre os Próximos Lançamentos

Para receber informações sobre os próximos lançamentos da EDITORA SEXTANTE, queira entrar em contato com nossa Central de Atendimento, dando seu nome, endereço e telefone para:

Editora Sextante

Rua Voluntários da Pátria 45 – 1.404 – Botafogo
22270-000 – Rio de Janeiro – RJ
Tel.: (21) 2286-9944 – Fax: (21) 2286-9244
DDG: 0800-22-6306 (ligação gratuita)
E-mail: atendimento@esextante.com.br

Para saber mais sobre nossos títulos e autores, e enviar seus comentários sobre este livro, visite o nosso site:

www.esextante.com.br